Zzz Virus

Zzz Virus

발 행 | 2024년 02월 02일

저 자 | 이라연

펴낸이 | 한건희

펴낸곳 | 주식회사 부크크

출판사등록 | 2014.07.15(제2014-16호)

주 소 | 서울특별시 금천구 가산디지털1로 119 SK트윈타워 A동 305호

전 화 | 1670-8316

이메일 | info@bookk.co.kr

ISBN | 979-11-410-6944-5

www.bookk.co.kr

Zzz

Virus

이라연 지음

1

"정 대리. 어서 퇴근해야지. 벌써 6 시야. 일찍 퇴근하는 거 아직도 적응이 안 되지? 술이라도 한잔하고 갈까?"

모니터를 뚫어져라 쳐다보며 일하고 있는 정시혁. 시혁의 옆자리에서 주섬주섬 짐을 싸고 퇴근 준비를 하는 박 과장이 능글맞게 웃으며 말을 걸었다.

"과장님, 농담이라도 그런 말을 하면 안 되죠. 여름이라 밤도 짧아진다고요. 빨리 딸 보러 가야 해요."

"에이, 농담이야. 농담. 무사히 자고 내일 보자고. 나 먼저 간다."

박 과장은 오른손 검지와 중지 끝이 눈으로 향하게 한후 왼쪽에서 오른쪽으로 옮기면서 한 번 구부린다. 수어로 잠자다, 잠들다 라는 뜻이다.

"네, 과장님도 무사히 주무세요."

시혁도 똑같은 손짓으로 화답해 준다. 그리고 자리에서 일어나서 나가려다 눈에 들어온 김 사원의 빈자리를 쳐다본다. 수천 번은 접었다 펴서 딱 닫히지 않고 가운데 부분이 부풀어있는 초록색 수첩, 어지럽게 놓여있는 뚜껑 열린 볼펜, 아무렇게나 휘갈겨 쓴 듯 글씨를 알아보기 힘든 형형색색의 메모들. 그리고 어제까지 표시된 휴가일.

'어제까지가 휴가였는데 오늘 사무실에 안 나오고 연락도 안 되는 걸 보니 그거겠지, 그렇다면.......'

김 사원의 자리 오른쪽 서랍을 열어 한참을 뒤적거리다가 하얀 약 7 정이 남은 약 상자를 꺼내고 다시 서랍을 닫는 시혁. 상자를 눈앞까지 들어 이리저리 살펴본 후 하단에 적혀 있는 '수면유도제'라는 글자를 확인한 후 오른쪽 바지 주머니에 넣고는 사무실을 나선다.

회사 건물 앞에 주차된 회색 승용차를 몰고 거리로 나가자, 거리 곳곳에 설치된 스피커에서 매일 같이 듣던 안내 사항이 또 들려온다.

– 하루도 수고 많으셨습니다. 오늘의 일몰 시각은 19시 50분. 19시 50분입니다. 오늘의 일출 시각은 05시 11분. 05시 11분입니다. 최소 수면 시작 시각은 23시 11분, 추천 수면 시작 시각은 22시 11분입니다. 고요의 밤인 22시 11분부터 다음날 02시 50분까지는 가능하면 절대 외출을 삼가시기를 바랍니다. 감사합니다.

"고요의 밤....... 그게 무슨 고요의 밤이야......."

신호를 기다리며 혼잣말로 중얼거리던 시혁은 신호가 바뀌어도 출발하지 않는 앞차를 향해 경적을 3번 울렸다. 그 후 오래 기다리지는 않고 곧바로 우측 깜빡이를 넣은 채 우측 차선으로 넘어간다. 뒤이어 차선을 바꾼 지 3분도 채 되지 않아, 자신의 차 바로 앞에서 휘청휘청하며 졸음운전을 하는 차량을 보고도, 심지어 갈림길에서 방향지시등도 켜지 않고 급하게 차선을 바꾸는 차량을 보고도 욕은커녕 눈 하나 깜빡 안 하고 다시 차선을 바꾸기를 여러 번 반복한다.

시혁은 마치 당연히 일어나는 일인 것처럼 이상하리만큼 침착함을 유지한 채, 자신의 유일한 안식처이자 사랑스러운 딸이 있는 집으로 향했다.

2

"아빠 왔다. 수아야. 잘 지냈지? 별일 없었고?"

"응, 집에서 한 발짝도 안 나가고 벽만 보고 틀어박혀 있었어. 하나도 안 심심했지."

거실에 엎드려 크레파스로 열심히 그림을 그리던 수아는 고개도 들지 않고 비꼬는 말투로 대답했다.

"미안해, 씩씩한 우리 공주. 내년에는 다시 학교 갈 수 있을 거야. 친구들도 다시 만나고. 선생님도 만나고. 조금만 더 기다려보자."

대답 대신 빨간 크레파스를 가지고 허공에 동그라미를 그리고는 다시 그림 그리기에 열중하는 수아. 시혁은 수아에게 다가가 수아를 들어 올려 안아준다. 수아도 말없이 시혁을 꼭 끌어안는다.

다시 수아를 내려놓고 바닥에 어질러져 있는 수아의 그림을 살펴보는 시혁. 분홍 드레스를 입고 있는 공주 그림, 강아지를 끌어안고 있는 것으로 보이는 그림 같은 평범한 8살의 그림들 속에 하나를 집어 든다.

"아빠, 내년에도 학교는 못 갈 거 같아. 오늘 TV에서 봤어. 얼마 전까지는 한 번이라도 잠을 덜 자면 그 이후로는 자는 게 점점 더 힘들어질 거라고만 했는데 뭐가 바뀌었나 봐. 이제는 잠을 안 자면 좀비처럼 된대. 저번에 아빠가 보던 영화에서 나오는 좀비 말이야."

시혁이 집어 든 종이에는 불타는 건물과, 수많은 사람이 눈을 감은 채 걸어 다니는 모습이 그려져 있었다.

'한참 전부터 그런 이야기가 돌았는데 드디어 정부에서

도 인정한 거구나. 그나저나 수아가 보기엔 잔인한 영화
라서 못 보게 했었는데 그때 뒤에서 몰래 보고 있었나 보
네.'

시혁이 수아를 보며 걱정하는 듯 아무 말 없이 생각하
는 걸 알아챈 수아가 말을 덧붙였다.

"괜찮아, 나는 아빠 말 잘 듣고 일찍 자고 일찍 일어나
는 착한 어린이니까 그렇게는 안 될 거야. 맞지?"

"응, 맞아. 이제 저녁 먹자. 오랜만에 수아가 좋아하는
짜장면 해줄게. 아빠 도와줄 거지?"

짜장면이라고 해 봤자 인스턴트 봉지라면으로 된 싸구
려 짜장면이었지만 보급받고 있는 음식 중에서는 그나마
먹을 만한 축에 들었기 때문에 수아와 시혁은 이것으로
만족해야 했다.

수아는 부엌 서랍장에서 봉지라면 2개를 꺼내고는 힘
겹게 봉지를 뜯는다. 흘린 면 부스러기 하나를 먹곤 안에
들어있던 짜장 수프와 건더기 수프를 꺼내 아빠한테 건네
주었다. 그러곤 만족한 표정으로 다시 거실로 돌아가 그
리던 그림을 마저 그린다.

시혁은 면을 끓는 물에 넣어둔 후 냉장고에서 상태가
그렇게 좋지는 않아 보이는 양파를 꺼내 칼로 작게 썰어
기름에 볶고, 끓는 물 일부를 덜어내 짜장 수프를 갠다.
그 후 적당히 익은 면을 건져 짜장 수프와 양파, 그리고
건더기수프와 함께 살짝 더 볶아낸다. 곧 집 안에는 온통
맛있는 짜장 냄새가 감돌게 된다.

시혁과 수아 둘 다 배가 고팠는지 식사하는 동안에는
한마디의 말도 하지 않고 각자 한 그릇씩 해치웠다. 식사

가 끝나고 정리를 하는 사이 어느새 해가 저물었고, 시혁과 수아는 늘 그랬듯 환기를 위해 열어두었던 창문을 모두 닫고 커튼을 쳤다.

지루한 시간은 천천히 흐르고, 행복한 시간은 빠르게 흘러간다고 한다. 어느덧 바깥에서 밤 9시를 알리는 청아한 종소리가 3번 울려 퍼졌다.

"아빠, 준비 다 했어!"

수아는 방에 들어가 불을 끄고 독서등을 켠 후, 침대에 누워 이불을 푹 덮은 채로 아빠를 불렀다. 시혁은 선반에 꽂혀있는 피터 팬, 빨간 머리 앤, 보물섬, 이상한 나라의 앨리스와 같은 동화책 사이에서 백조 여섯 마리가 그려진 동화책 하나를 가져와 침대 옆에 있는 의자에 앉았다.

"오늘 읽어 줄 책은 백조 왕자입니다. 옛날 옛날 아주 먼 옛날, 엘리사 공주가 살았어요. 엘리사 공주는 무려 열한 명이나 되는 오빠들과 행복한 시간을 보냈어요. 하지만 행복한 시간은 그리 오래가지 않았답니다. 왕이 사악한 왕비와 새로 결혼했기 때문이에요."

시혁은 어떤 땐 왕 흉내를, 어떤 땐 왕비 흉내를, 어떤 땐 공주 흉내를 내며 동화책을 읽었고, 수아도 중간중간 맞장구를 치며 점차 이야기에 빠져들었다.

"사악한 왕비는 엘리사 공주와 11명의 왕자를 지극히도 미워했어요. 그래서 왕비는 왕자들에게는 낮에는 백조로, 밤에는 인간으로 변하는 저주를 걸었고 예쁘고 착한 엘리사에게는 거머리와 두꺼비 독으로 못생긴 얼굴을 가지게 하여 마음씨가 사악해졌다는 누명을 씌우고 왕궁에서 쫓아냈어요."

시간 가는 줄도 모르고 빠져들었던 동화책 세상도 어느새 마지막 페이지에 이르렀다.

"엘리사는 마녀로 몰리면서도 꿋꿋이 만들었던 열한 벌의 쐐기풀 사슬갑옷을 드디어 완성했어요. 화형당하기 직전 엘리사는 사슬갑옷을 던졌고, 백조들은 하나둘 왕자로 다시 변했습니다. 모든 오해가 풀린 엘리사는 오빠들과, 엘리사에게 청혼한 이웃 나라 젊은 왕과 함께 행복하게 살았답니다. 오늘 이야기 끝."

"아빠, 나 지금 꼭 자야 해? 동화책 한 권만 더 보고 자면 안 돼? 지금 하나도 안 졸리단 말이야. 아직 시간도 많이 남았는데. 응?"

읽던 책을 덮고 침대 옆 독서등 조명을 줄이는 시혁에게 수아가 말했다.

"수아야, 이제 잘 시간이야. 책은 아침에 봐도 되니까 눈 꼭 감고 자자, 알겠지?"

"아니면 아빠랑 조금만 더 놀다가 자면 안 돼?"

"내일은 아빠 일찍 퇴근하는 날이니까, 내일 놀자. 오랜만에 밖에 나갈 수 있잖아."

"나 저번에도 늦게까지 안 잔 적 있는데 괜찮았단 말이야. 또 안 믿어줄 거지?"

"나는 우리 수아 말 믿지. 그래도 그땐 아마 바이러스가 없었을 때거나 시간을 착각했을 수도 있잖니. 꿈을 꾼 거일 수도 있고 말이야. 전에도 아빠가 괜히 모험할 필요 없다고 그랬잖아. 이제 진짜 자자."

수아는 잠시 망설이다 두 손으로 이불을 이마까지 올린 채 대답했다.

"알겠어. 아빠. 잘자."

시혁은 수아의 작고 부드러운 두 손으로 꼭 잡고 있는 이불을 다시 어깨까지 내리고 볼에 가볍게 뽀뽀를 해준다. 그러곤 방구석에 있는 짧은 라벤더 초에 불을 붙인다. 곧 은은한 라벤더 향이 방을 감싸는 걸 확인하고는 발뒤꿈치를 들고 걸어나가 조용히 문을 닫았다.

시혁은 거실 소파에 앉자마자 왼쪽 손목에 찬 스마트 워치를 몇 번 만지며 화면에 떠 있는 시간을 확인했다. 라임색 배경의 화면에 적힌 시간이 2시간 17분에서 막 16분으로 넘어간 걸 확인하고는 TV를 켠다. 혹여나 수아가 깨지 않도록 화면이 켜지자마자 바로 귀를 기울여야 겨우 들릴 정도로 소리를 최대한 줄인다.

자기 전 TV나 휴대전화와 같은 밝은 화면을 보는 건 수면에 방해된다는 사실을 알지만, 현대인들의 소양인 하루가 끝나기 전 마지막 발악처럼 TV나 휴대전화를 보며 의미 없는 시간을 보내다 스르륵 눈을 감고 자는 행위를 포기하기란 쉽지 않은 듯했다. 인터넷도 얼마 전부터 시혁이 사는 아파트를 포함한 근방 지역에는 아예 끊겨버렸고, TV에서는 이제 단 3개의 채널만 살아남아 선택권이 많이 없어졌다. 그래도 시혁은 이 네모난 전기 상자에서 무작위 영상을 배급받을 수 있다는 것만으로도 천만다행이라는 생각이 문득 들었다.

냉장고 속 단 두 캔 남아있는 맥주 생각이 났지만, 다음 보급품을 가지러 가기 전까지는 2주는 더 남았기에 시혁은 시선을 냉장고에서 TV로 다시 돌렸다. 악몽 같은 지금 상황이 언제쯤 끝날지 실낱같은 희망이라도 찾아보고자 24 시간 뉴스채널을 확인해 본다. 정장 차림의 아나운서가 표정 변화 없이 온통 빨갛게 표시된 대한민국 지도를 가리키며 무언가를 설명하고 있었다.

"이제 대한민국 모든 사람이 Zzz 바이러스 걸렸으니까 불면증 걸리기 싫으면 잠 제때 자라는 걸 뭐 대단한 새로운 소식이라고 뉴스에서 띄우는 거야. 국가에서도 대책 없으니까 알아서 조심하라는 걸 이렇게밖에 말 못 하나? 밖에 아무나 붙잡고 물어봐도 다 아는 소리를 왜 새로운 소식인 것처럼 저러는 거지."

시혁은 괜히 혼잣말로 투덜거리며 혀 차는 소리를 한번 내고는 옆에 나뒹굴고 있던 리모컨으로 TV 를 끈다. 그후 소파 옆 서랍에 있던 졸린 고양이 캐릭터를 본떠 만든 수면안대를 꺼내어 착용한 채 소파에 누워 잠을 청했다. 3분도 채 지나지 않아 금세 잠이 든 시혁은 몸을 뒤척이다 우연히 오른팔로 리모컨을 건드려 자신도 모르게 TV 를 다시 켰다.

화면에는 몇 시간 전 수아가 그린 그림과 똑같이 불타는 건물과 수많은 사람이 눈을 감은 채 걸어가고 있는 장면이 잠시 지나갔다. 그 후 깔끔한 분홍색 재킷을 걸친 기자와 얼굴에 주름이 자글자글한 교수가 인터뷰하는 듯한 모습이 비쳤다.

3

"아빠 갔다 올게. 오늘은 2시쯤 올 거니까 배고프면 냉장고에 있는 우유 꺼내서 시리얼이랑 같이 먹고 있어. 퇴근하면 같이 공원 가자."

다음날, 시혁은 힘겹게 구둣주걱으로 오른쪽 구두에 발을 밀어 넣으며 말했다.

"알겠어, 빨리 갔다 와."

문이 닫히고, 혼자 남겨진 수아는 거실 베란다 쪽으로 향한다. 곧 시혁의 차가 집을 떠나는 걸 확인하고 서둘러 방으로 들어간다. 구석에 있는 빨간 스웨터를 입은 곰돌이 인형을 껴안는 듯하다가 곰돌이 인형 등 뒤에 손을 집어넣더니, 보라색 수첩을 꺼냈다. 수아는 방바닥에 아무렇게나 굴러다니는 연필과 지우개를 같이 집은 채 거실 소파 앞쪽 바닥에 앉은 후 수첩에 다음과 같이 적었다.

'2031년 6월 20일 금요일

어제도 결국 10시를 넘기지 못하고 잠이 들었다. 일어나니 이미 해님이 나를 반기고 있었다. 바이러스가 온 세상에 퍼지고 나서 딱 한 번 악몽을 꾸고 잠을 못 잔 이후로부터 오늘이 30일째이다.

오늘은 30일 기념으로 잠시 처음 며칠간 있었던 일을 짚어봐야겠다. 악몽을 꾸고 잠을 못 잤던 다음날, 이제는 영원히 잠이 들지 못하는 게 아닌지 무서웠지만, 아빠에게 말하기도 무서워서 대신 일기를 쓰기 시작했었지. TV 속에서 봤던 눈그늘이 거의 코까지 내려온 사람들처럼 될까 봐 걱정되어서 실제로 이틀 정도 잠을 설쳤던 기억

이 난다.

그러다 3일째 되는 날 오랜만에 아빠와 밖에서 재밌게 놀고 나니 갑자기 너무 졸려서 해가 지기 전부터 다음 날 아침까지 푹 자고 일어났을 땐 너무 좋았다. 그때부터 나는 남들과 다르게 잠을 안 자도 괜찮다고 생각했었다. 하지만 아빠에게 솔직하게 털어놓았을 때 아빠의 반응은 날 못 믿는 눈치였고, 지금은 나도 잘 모르겠다. 그래도 학교도 안 가고 집에만 있을 때가 많아서 심심하니까 일기는 계속 쓰고 있는데 나쁘지 않다.

자기 전 아빠가 읽어준 '백조 왕자'의 엘리사 이야기를 듣고, 내가 바로 그 엘리사 공주라고 생각해서 어젯밤에 다시 용기를 내보았었다. 아쉽게도 어두운 방에서 라벤더 향기를 맡은 기억조차 흐릿한 걸 보면 용기만으로는 엘리사 공주가 될 수 없나 보다.

엘리사 공주는 말도 하지 못하고 마녀 취급을 받으며 불타 죽기 직전까지도 오빠들을 구하기 위해 옷을 만들었었지. 다시 생각해 보니 나는 그러지 못할 것 같기도 하다. 어렵다.'

"음......."

수첩을 덮고 어제 본 백조 왕자 책을 꺼내 다시 읽고 나니 어느새 배가 고파진 수아는 냉장고 문을 열어 반 정도 남은 우유와 호랑이 그림이 그려진 시리얼을 꺼낸다. 부엌 싱크대 옆에 있던 작은 보라색 플라스틱 시리얼 그릇과 숟가락을 식탁 위에 올려놓고는, 시리얼을 한가득 붓고 넘치지 않을 정도로만 우유를 붓는다. 마파람에 게 눈 감추듯 간단하게 시리얼을 먹어 치우고 나서 어제 그렸던 그림을 마저 그리던 수아는 거실 바닥에 엎어져서 그대로 잠이 들었다.

얼마 지나지 않아 문밖에서 들리는 누군가의 발걸음 소리와 목소리 때문에 잠이 깬 수아는 비몽사몽 인터폰으로 다가가서 바깥을 살핀다. 문 바깥에는 아무도 보이지 않았지만, 중저음의 남자 목소리가 작지만 계속해서 새어 나오고 있었다. 수아는 문이 잠겨있는지 눈으로 확인하고 다시 인터폰으로 고개를 돌렸다. 여차하면 저번에 아빠가 알려준 대로 인터폰에 있는 빨간 버튼을 누르려고 기다리며 침을 꼴딱 삼켰다.

'Sugar, Star, Rainbow, Unicorn and More Unicorn~'

그때, 거실 한편에 비치해 둔 비상용 휴대전화에서 들리는 경쾌하고 발랄한 벨 소리가 집 안 가득 채워진다. 좋아하는 만화 주제곡으로 직접 지정했던 벨 소리를 듣고 화들짝 놀란 수아는 전화가 있는 쪽으로 달려가 허겁지겁 전화를 받았다.

- 우리 딸 별일 없었지? 아빠 곧 출발할 건데, 어제 약속한 대로 공원 놀러 가고 싶으면 외출복 입고 기다리고 있으라고 전화했어.

"어, 응. 별일 없었어. 빨리 와."

수아는 최대한 밖으로 소리가 새어 나가지 않도록 빨리 소파 쪽으로 걸어가면서 대답했다. 바깥에서 들리는 소리는 더는 들리지 않는 듯했다.

- 알겠어. 이따가 보자. 누구랑 같이 있는 거 아니지?

"당연히 혼자 있지. 왜?"

- 아니야, 그냥 물어본 거야. 공원 가서 뭐 할지 생각하

면서 기다리고 있어. 끊을게, 우리 딸 사랑해.

"나도 사랑해."

전화를 끊고 안도의 한숨을 쉬는 수아. 다시 한번 인터폰을 확인하고는 그대로 거실 바닥에 누워버린다.

수아는 눈을 감고 갑자기 찾아온 고요함을 만끽하며 들숨과 날숨에만 정신을 집중한다. 거실은 금세 수아의 작은 숨소리로 채워졌다. 수아는 자세를 뒤척이지도 않고 천장을 바라본 채, 천천히 낮잠에 빠져든다.

'삐 삐 삐 삐빅. 삐빅 삐 삐빅.'

낮잠을 잔 지 20분도 채 지나지 않았는데, 도어락 비밀번호를 입력하고 시혁이 문을 열고 들어왔다. 수아는 안 잔 척 재빠르게 자세를 고쳐잡아 앉는다.

"수아야, 잘 잤니? 웬만하면 낮잠은 자지 말라고 했잖아."

"아니야, 안 잤어!"

시혁은 대꾸 대신 바닥에 앉아있는 수아를 들어 올려 소파에 앉히고는, 엄지로 턱 오른쪽에 흘린 침을 닦아주었다. 시혁은 엄지를 수아의 옷에 한 번 쓱 비비고 수아에게 말했다.

"그래도 오늘은 밖에서 신나게 놀고 들어올 거니까 괜찮겠지. 옷 갈아입고 나와."

수아는 머쓱한 표정을 한 번 지어 보이고는 후다닥 방으로 들어간다.

16

4

"벌써 열 번째인데 이제 다른 거 타고 놀면 안 되겠니?"

미끄럼틀 옆에 서 있는 시혁의 말을 수아는 들은 체도 안 하고 다시 미끄럼틀 위로 올라간다. 한 걸음씩 걸을 때마다 덜컹거리는 소리가 날 정도로 오래되어 보이지만 전혀 신경 쓰지 않는 눈치였다.

집에서 얼마 떨어지지 않은 곳에 있는 공원에 와있는 수아와 시혁. 주위에는 수다를 떠는 아줌마들, 강아지를 산책시키는 청년, 시원한 그늘에서 부채질하며 장기를 두고 있는 할아버지들, 그리고 검은 모자를 쓰고 형광 조끼를 입은 경찰 두 명 등이 보인다. 그 외 사람 중에도 수아 또래의 아이는 한 명도 보이지 않았다.

시혁은 근처 갈색 벤치에 앉아 자판기에서 뽑아온 콜라 두 캔 중 하나를 따 마셨다. 캔을 입에 대고 힘차게 들이켰을 때, 더운 여름 날씨를 잠시나마 잊게 할 정도로 시원한 청량감이 식도를 타고 온몸으로 퍼져 나간다. 시혁은 콜라의 탄산이 입안을 간지럽히는 느낌과 함께 쓴맛과 단맛이 섞인 맛을 즐겼다. 그러고는 캔을 내려놓고 한숨을 내쉬며 무거운 눈꺼풀을 비비고 주변을 둘러보고는, 다시 수아 쪽을 바라보며 넋을 놓았다.

그러다 바지 주머니에서 갑작스레 들리는 벨 소리에 흠칫 놀라며 휴대전화를 꺼냈다. 어제 출근하지 않았던 김 사원이었다. 시혁은 휴대전화 화면에 뜬 '김 사원'이라는 세 글자를 오래도록 바라보며 전화를 받아야 할지 말아야 할지 고민하다가 결국 전화를 받는다.

"어, 김 사원."

– 정 대리님. 잘 지내시나요.

시혁은 휴대전화 너머에서 들려오는 김 사원의 푹 가라앉은 목소리를 너무나도 선명하게 들었다. 시혁은 세상에 혼자 남은 것처럼 쓸쓸하고 절망적이지만 티를 내지 않기 위해 외로움을 억지로 참고 있는 듯한 김 사원의 힘없는 목소리에 고개를 잠시 들어 한숨을 쉬고 다시 답변한다.

"응. 역시 그거 맞지?"

– 네. 지금 벌써 3 일째 잠을 못 잔 거 같네요. 그래도 저는 조금 오래 버틴 것 같긴 한데, 더는 안 될 거 같아서 마지막으로 주변에 연락 돌리는 중이었어요. 회사에도 미리 연락드렸어야 했는데.......

말끝을 흐리는 김 사원. 시혁은 김 사원을 최대한 안심시키려는 목소리로 차분하게 말을 이어 나갔다.

"아니야. 다 이해하지. 아쉽네. 김 사원 덕분에 많이 웃었는데 말이야."

– 그러게요. 저도 참 좋았는데 말이에요. 아마 내일쯤 시설에서 데리러 온다고 하네요.

"그래, 남은 시간 동안 같이 있고 싶은 사람이랑 시간 잘 보내고 그래."

시혁은 아빠를 향해 막 손을 흔들고 있는 수아를 보고 손을 흔들어 주며 억지로 웃어 보인다.

– 네. 대리님이랑 따님은 밤에 꼭 잘 주무세요. 저는 이만 또 다른 분들한테 연락드려야 해서.......

"그래. 고맙다."

김 사원과의 통화를 끝내고 휴대전화를 주머니에 넣은 시혁은 다 마신 콜라 캔을 바닥에 세워놓고 발로 한 번 세게 밟았다. 캔이 완전히 납작해지지 않자 한 번 더 밟았다. 캔은 이제 완전하게 찌그러졌지만, 시혁은 주변의 시선에도 아랑곳하지 않고 몇 번을 더 밟았다. 그러고는 납작해진 캔을 잡아서 근처 재활용 쓰레기통에 넣었다. 다행히 수아는 시혁의 행동을 전혀 눈치채지 못 챈 듯 여전히 미끄럼틀에만 열중해 있었다. 한 번 더 미끄럼틀을 타고 내려온 수아는 드디어 미끄럼틀이 질린 건지 아빠를 부르며 뛰어왔다. 수아가 시혁의 앞에 멈춰 서자, 시혁이 말했다.

"우리 수아 잘 놀았어? 해 지기 전에 저녁 먹고 갈까? 뭐 먹고 싶어?"

"떡볶이 먹고 싶어."

"저번에 먹었을 땐 막 맵다고 거의 먹지도 못했잖아. 괜찮겠어?"

"에이, 그땐 어렸을 때잖아. 이제 다 컸으니까 당연히 먹을 수 있지. 맛있게 맵다는 말 알아?"

시혁은 수아의 머리를 쓰다듬으며 말했다.

"우리 수아 다 컸네. 그래도 혹시 모르니까 맵기 단계 하나만 낮춰서 먹을까?"

"응, 나는 이제 잘 먹을 수 있지만 아빠가 혹시 맵다고 할 수도 있으니까 그렇게 하자."

조금 덜 맵게 먹자는 말을 기다렸다는 듯이 바로 대답하는 수아의 손을 잡고 공원을 나서는 시혁. 시혁은 짧은 다리로 방방 뛰면서 가는 수아의 속도에 맞춰가기 위해 평소보다 더 보폭을 줄여서 걷는다. 그러면서 공원 나무에 머리를 박고 입을 벌린 채 미동도 하지 않던 아저씨와, 돌부리에 걸려 넘어지고 한참 동안 제대로 일어나지 못하는 여학생을 끌고 가는 경찰들을 애써 외면했다. 시혁은 그런 장면을 보고 싶지 않았다. 그저 딸과 함께 즐겁게 지내고 싶었다. 수아에게도 보여주고 싶지 않았다.

5

날은 어느덧 저물고, 시혁과 수아는 아파트 앞에 주차된 경찰차와 인파를 지나쳐 가려다 멈춰 섰다. 수첩에 무언가를 받아적고 있던 경찰의 입에서 시혁의 집 동호수가 들린 것 같았기 때문이다. 시혁이 경찰에게 다가가 물었다.

"몇 동 몇 호라고요?"

"네? 아, 혹시 102동 804호 주민이신가요?"

"네. 804호 삽니다."

"성함이 어떻게 되시죠?"

"정시혁입니다."

경찰은 시혁의 얼굴을 한번 쓱 훑어보고 수첩을 뒤적거리고 무언가를 적은 후 수첩을 주머니에 집어넣으며 또박또박 말했다.

"저는 대구 북구경찰서에 소속된 김석희 경장입니다. 현재 102동에 도둑이 들었다는 신고를 받고 약 30분 전에 현장에 도착하였습니다. 조사 결과, 도둑은 504호, 604

호, 그리고 804 호 이렇게 세 가구를 차례로 노린 것으로 밝혀졌습니다. 504 호, 604 호 가구에서는 현금과 귀금속 등을 훔쳐 간 흔적이 발견되었습니다. 804 호 현장도 조사를 진행하려고 하니, 저희와 함께 현장으로 동행해 주시기 바랍니다."

옆에서 초조한 표정을 짓고 있던 수아를 발견한 시혁은 무릎을 굽혀 수아의 눈높이를 맞추었다. 수아가 먼저 축 처진 목소리로 속삭였다.

"아빠, 미안해. 내가 미끄럼틀 조금만 덜 탔으면......."

"아니야, 수아야. 오늘 우리가 공원에 가서 놀고 온 거랑 집에 도둑이 든 건 아무 상관이 없는 거야. 네 잘못은 하나도 없어. 그리고 여기 경찰 아저씨들이 범인 잡아서 혼내줄 거니까 걱정하지 마. 아무도 안 다친 게 제일 중요한 거야."

수아와 시혁은 경찰 2 명과 함께 집 앞으로 들어섰다. 문에 설치되어있는 디지털 자물쇠 뒷부분에서는 타버린 듯한 검은 자국과 함께 날카로운 탄내를 풍겼다. 경찰 중 한 명이 손잡이를 조심스럽게 돌리자, 문은 그대로 아무런 저항도 없이 열렸다.

집은 생각했던 것보다는 그리 너저분해지지 않았다. 적어도 깨지거나 부서진 채 바닥에 나뒹굴고 있는 물건은 없었으니 말이다. 집 안에 있는 모든 서랍이란 서랍은 다 열려있었지만, TV, 냉장고, 에어컨과 같은 부피가 큰 물건들은 전부 원래 있던 자리 그대로 있었다. 시혁이 보는 앞에서 경찰들이 약 30 분 정도 살펴본 결과, 비상금으로 숨겨두었던 현금 30 만 원과 옛날에 시혁이 서울에서 헐

값에 구매했던 짝퉁 시계만 사라진 듯했다.

　일단 경찰서로 복귀하려는 경찰들에게 수아가 먼저 고개를 꾸벅 숙여 인사했다. 시혁은 냉장고 구석에 있던 파란 캔 음료 2개를 꺼내 경찰들에게 건네주며 어색한 웃음과 함께 간청했다.

　"원래부터 집에 비싼 걸 잘 안 둬서 그런가 거의 그대로 잘 있네요, 하하하. 그래도 범인 잡으시면 꼭 연락해주세요. 집 정리라도 좀 시키게요."

　"네, 알겠습니다. 걱정하지 마세요. 그리고 오늘은 현관 고리 잠그시고 주무시고 내일 꼭 도어락부터 고치시기를 바랍니다."

　시혁은 철수하는 경찰들의 뒷모습을 바라보다가 주위를 둘러보았다. 그러자 방금까지는 경찰들 때문인지 아니면 없어진 물건에만 신경을 써서인지 크게 눈에 들어오지 않았던 도둑의 손길이 닿은 흔적들이 보이기 시작했다. 닫혀있어야 할 서랍들은 여전히 열려 있었고, 서랍 안에 있어야 할 물건들은 뒤죽박죽 제 위치를 찾지 못한 채 밖에 나와 있었다. 그리고 자세히 보니 바닥도 온갖 정체 모를 얼룩으로 더럽혀져 있었다. 시혁은 한숨을 내쉬며 막대걸레를 꺼내 들었다.

　수아는 자신의 방에 들어가 제일 먼저 곰돌이 인형과 안에 있던 수첩을 확인해 보고 안도의 한숨을 내쉰다. 그러고는 주위를 둘러본다. 열려있는 서랍, 흩어져 있는 물건들, 없어진 돈과 시계, 정신없이 집을 훑고 간 도둑과 경찰이 남긴 흔적들. 수아는 이에 대해서는 크게 신경 쓰지 않았다. 그것보다는 거실에 혼자서 기운 없는 표정으로 청소하고 있는 아빠를 쳐다보는 게 더 힘들었다. 그래서 수아는 거실로 다시 나와 바닥에 떨어져 있는 갑 티슈를 원래 자리로 올려놓으며 말했다.

"아빠, 나도 도와줄게."

수아는 마구잡이로 나와 있던 물건들을 하나둘 안에 집어넣기 시작했다. 청소하면서 생기는 먼지 때문인지, 오랜만에 집에 손님들이 온 탓에 에어컨을 더 세게 틀어서인지 이따금 재채기하고 콧물을 훌쩍이면서도 수아는 아빠를 도와 청소를 마무리했다. 때마침 바깥에서 밤 9시를 알리는 음울한 종소리가 3번 들려온다. 지쳐 보이는 시혁이 수아에게 기운 없는 목소리로 말했다.

"오늘은 피곤하니까 씻고 바로 자자. 대신 내일 밤에는 오늘 읽어줄 책까지 같이 읽어줄게. 알겠지?"

"알겠어. 나도 오늘 많이 놀아서 졸려."

수아가 계속 코를 훌쩍거리자 잠시 소파에서 쉬던 시혁은 자리에서 일어나 휴지를 몇 장 뽑아온다. 수아는 시혁이 건네준 휴지로 코를 세게 한 번 풀고 나니 좀 개운해지는 듯했다. 진이 빠진 시혁은 다시 소파에 털썩 앉으며 물었다.

"오늘 재밌었지?"

"응. 한 달 치는 다 논 거 같아. 그래도 앞으로도 자주 놀러 가면 좋겠다. 동물원에서 사자도 보고, 놀이공원에서 회전목마도 타고 싶어."

"그래, 다음에 기회 되면 꼭 가자. 꼭. 약속."

시혁은 수아에게 먼저 새끼손가락을 내밀었다. 수아도 따라서 새끼손가락을 내밀어 걸었다.

6

"아빠, 아빠. 자?"

잠결에 들려온 수아의 목소리에 소파에서 자던 시혁은 일어나지 않고 겨우 고개만 돌려 주위를 살펴본다. 밤 11시 23분을 가리키는 시계의 은은한 불빛 덕분에 시계 주위에 있는 물건들만 겨우 보이는 정도였다. 수아의 목소리가 들리는 방향으로 고개를 돌려도 수아의 모습은 보이지 않았다. 잠결에 잘못 들은 것으로 생각해 시혁은 다시 눈을 감았다.

하지만 이번에는 누군가 오른쪽 어깨를 콕콕 찌르는 느낌이 들어 시혁은 왼손에 착용한 스마트 워치 화면을 두 번 두드리고 오른쪽으로 몸을 돌려 비추었다. 그러자 바닥에 엎드린 채 겨우 오른손만 소파에 걸치고 거칠게 숨을 몰아쉬고 있는 수아의 모습이 보였다. 깜짝 놀란 시혁은 소파에서 일어나 수아 옆에 쪼그려 앉아 제일 먼저 손을 수아의 이마, 귀 뒤, 목덜미 순으로 만져보고, 자기 이마에도 손을 대어본다. 수아가 걱정하지 않도록 최대한 차분한 척 목소리를 가다듬으며 시혁이 수아에게 물었다.

"수아야, 언제부터 열이 이렇게 났어. 응? 자다가 깬 거야?"

"응, 방금 깼어……. 몸이 뜨겁고 어지러워서……."

여전히 엎드린 채 고개만 돌린 수아가 불편하지 않도록 시혁은 자신이 베고 자던 베개를 수아가 벨 수 있도록 머리를 살짝 들어 넣어준다. 그리곤 스마트 워치를 이리저리 만지다가 수면 관리 앱을 켠 후 급하게 시간을 조정했다.

"1시. 최소 1시까진 다시 자야 하는데."

시혁은 시간을 몇 번 다시 되뇌면서 스마트워치로 응급실에 전화를 걸었다. 발을 동동 구르며 초조해하는 시혁에게 곧 익숙한 여성 음성 비서의 목소리가 들려온다.

– 안녕하세요, 메디컬대구북구 응급실입니다. 메디컬대구북구 응급실은 고요의 밤 동안 응급환자의 진료 및 치료, 응급 의료지원, 전화 상담 등을 제공하지 않습니다. 고요의 밤이 지난 후 다시 연락해 주시기를 바랍니다. 메디컬대구북구 응급실에 대한 자세한 정보는 인터넷 메디컬대구북구 사이트에서 확인하실 수 있습니다. 건강하시고 안전하게 지내시길 바랍니다.

다른 응급실에도 전화했지만, 시혁은 방금 통화했던 병원에서 들렸던 목소리와 같은 딱딱한 말투의 음성 비서 목소리만을 마주할 뿐이었다. 시혁은 마지막 전화를 끊고 고개를 들어 천장을 바라보며 뒷머리를 연거푸 쓸어내렸다. 그러다 무언가 생각난 듯 갑자기 자리에서 일어나 TV 앞으로 향하며 중얼거렸다.

"지금은 일단 열을 내리고 자는 게 먼저니까 해열제 성분이 있는 감기약이라도 먹여야겠다."

시혁은 TV 앞에 앉아 TV 아래에 있던 서랍 문을 차례대로 열어본다. 첫 번째 서랍에는 안 쓰는 리모컨, 건전지, 케이블 등이 뒤죽박죽 섞여 있다. 몇 시간 전 절도 현장을 힘겹게 치우느라 크게 정리하지 않고 마구잡이로 넣었던 기억이 났다. 별다른 소득은 없다.

두 번째 서랍에는 10년도 더 된 잡지와 신문지, 벽걸이 달력 등의 인쇄물들이 쌓여 있다. 안쪽까지 뒤져보며 자신이 찾는 물건이 없는지 확인했지만, 원하는 것은 없었다. 비어있는 세 번째 서랍을 확인하고 바로 마지막 네 번째 서랍을 열어본다. 네 번째 서랍에는 예전에 찍었던 사진, 편지, 기념품 등의 추억거리들이 마찬가지로 아무렇게나 놓여있었다. 고개를 갸우뚱거리고는 수아를 향해 뒤돌아서 얘기했다.

"구급상자가 없다. 수아야, 혹시 TV 밑에 있던 구급상자 건드린 적 있니?"

"아니요. 아, 혹시."

수아가 힘겹게 말을 끝마치기 전에 시혁도 깨달았다. 도둑이 훔쳐 간 건 비상금과 시계뿐만이 아니었음을. 조금 전까지는 왜 깨닫지 못했을까.

시혁은 불을 켜지 않은 채로 낮에 입었던 외출복으로 서둘러 갈아입었다. 그리고 옷장 안을 뒤적거리더니, 검은색 막대기를 꺼내 허공에 한 번 휘둘러본다. 검은색 막대기 속 스테인리스 재질의 기다란 봉이 펼쳐졌다. 60cm 남짓 되는 삼단봉이었다.

오른쪽 무릎을 바닥에 굽히고 힘을 주어 봉을 바닥에 몇 번 찍자, 삼단봉이 가까스로 손잡이 안으로 접혀 들어갔다. 시혁은 바닥을 확인해 보고 구시렁거렸다.

"바닥에 자국 남겠네. 다음부턴 딱딱한 곳에서 접어야겠다."

시혁은 주머니에 삼단봉을 넣으며 다시 한번 시계를 확인해 보고 수아에게 조심스레 말했다.

"수아야, 아빠 금방 밖에 갔다 올 거니까 잘 수 있으면 꼭 자고 있어. 알겠지? 일단 급한 대로 자판기 비상약이라도 먹어야 아침까지 잘 수 있을 거야. 한 시간 안에 꼭 돌아올게."

"으응."

수아는 간신히 팔을 올려 오케이 사인을 하고는 팔을 축 늘어뜨렸다.

시혁은 무거운 발걸음을 떼며 집 밖으로 나섰다. 아파트 출입구로 나온 시혁은 곧장 자신의 승용차로 향하다 발걸음을 돌려, 바로 단지 바깥으로 걸어 나가며 말했다.

"이렇게 늦게 집 밖으로 나온 건 바이러스가 퍼지고 처음인데. 분명 대종약국 앞에 비상약 자판기가 있었지. 근처에 차 댈 곳이 없으니까 걸어가야겠다."

중얼거리며 시계를 다시 두 번 두드려보는 시혁. 시계는 11 시 51 분을 가리키고 있었다. 주머니에 손을 넣은 채 천천히 걸어가면서 시혁이 기억하던 2 년 전과는 너무나도 달라진 밤거리에 적응하기 위해 주변을 살펴본다.

시혁의 기억 속 밤거리는 활기찬 곳이었다. 형형색색의 불빛과 음악, 소음 속에 수많은 사람이 각자의 즐거움을 위해 술을 마시고, 웃음을 터뜨리며 만남과 이별 속에 즐겁게 지냈던 곳이었다.

그러나 그런 곳은 이제 사라졌다. Zzz 바이러스의 장기화와 경제적 위기 탓에 많은 가게가 문을 닫았고, 사람들은 잠을 자야 했기에 밖에 나가지 못했다. 이곳의 밤거리는 깜깜하고 음침한 곳으로 변했다. 거리를 밝히던 불빛은 꺼지고, 거리의 분위기를 책임지던 음악은 잠잠해지고, 그 속에서 시간을 보내던 사람들의 웃음은 사라졌다. 대신 공포와 불안이 가득했다. 죽지 않기 위해 사람들이 잠에 들면서 밤거리 또한 잠이 들고 말았다. 밤거리는 예전의 영광을 되찾을 수 있을까? 아니면 영원히 어둠 속에 잠겨 있을까?

죽어버린 듯한 밤거리에도 살아있는 것들은 존재한다. 아니면 적어도 움직이는 것들은 존재한다. 최대한 아무도 마주치지 않으려고 조심스레 걸어가던 시혁의 앞을 가로막고 있는 군데군데 찢어진 교복을 입은 고등학생처럼 말이다.

키가 시혁보다 한 뼘 정도 작아 보이는 남학생의 눈은 충혈되어 부어 있었고, 눈 밑에 낀 다크서클은 머리카락만큼 어둡고 짙은 흑색을 띠고 있었다. 반대로 얼굴은 창백하고 쳐져 있었고, 무기력하고 우울한 표정을 유지했다. 전반적으로 몸이 성치 않아 걷거나 서 있기 힘들어하는 듯했다. 한 손은 뒷짐을 지고, 다른 한 손은 허벅지를 짚고 있었다.

"저기요......."

발음은 매우 부정확했다. 시혁을 부르는 것일까? 다른 어느 곳을 가리키는 것일까? 아니면 그저 아무 말이나 하는 것일까?

시혁은 그 모습을 보고 안타까움과 동정심이 들었다. 하지만 동시에 자신의 신변에 위협도 느꼈다. 자신의 앞에 겨우 서 있던 학생의 교복에 달린 명찰이 눈에 띄었다. 성이 적혀있는 곳에는 흙이 묻어 글씨가 잘 보이지 않았고 기훈이라는 이름만 볼 수 있었다.

기훈의 눈동자는 희미하게 흔들렸다. 시혁은 아무런 대

답도 하지 않았다. 얼굴에는 땀방울 하나가 막 뺨을 타고 흘러내리고 있을 정도로 더웠지만, 시간은 반대로 차갑게 얼어붙은 듯했다.

땀방울을 의식하던 사이 뒷짐을 지고 있던 남학생의 손은 어느새 앞으로 나와 있었고, 그 손에는 날카로운 식칼이 밤하늘의 달빛과 별빛을 반사하고 있었다.

"도와줘....... 죽여줘......."

기훈의 입이 힘겹게 움직이더니 기어가는 목소리로 말했다. 기훈은 다리를 절뚝이며 시혁에게 다가왔다.

"죽어줘....... 살......."

알아듣기 힘든 발음으로 얼버무리며 계속 다가오는 기훈. 시혁은 천천히 뒷걸음질로 물러났다. 동시에 천천히 오른쪽 주머니에 손을 넣고 방금 챙겼던 호신용 삼단봉을 꺼냈다. 한 번 세게 휘둘렀으나 봉이 펴지지 않았다. 시혁은 당황하지 않고 다시 한번 휘둘러 겨우 삼단봉을 펼치는 데 성공한다.

학생은 갑자기 걸음을 멈추고 제자리에서 고통에 젖은 앓는 소리를 낸다. 이 틈을 타 시혁은 기훈의 얼굴에 시선을 고정한 채 멀리 빙 둘러 돌아가려 했다. 초점은 이미 잃어버린 지 오래되어 보이는 기훈의 눈은 시혁의 움직임과는 전혀 무방하게 이리저리 움직이는 듯했다.

'자극하지 말고 일단 조용히 돌아 나가야겠다.'

손에 든 삼단봉을 더욱 꽉 쥔 채, 시혁은 천천히 학생의 시선에서 벗어나 뒤통수가 보이는 반대편으로 돌아가는 데 성공했다. 혹여나 달려들까 봐 기훈의 뒤통수를 내리치려는 시혁은 손잡이를 힘껏 쥐고 삼단봉을 들다가 한참을 망설였다. 기훈은 여전히 앞만 바라보고 있다.

결국 시혁은 봉을 거두고 천천히 뒷걸음질을 친다. 세 걸음 정도 더 가서 뒤로 돌려는 그때 기훈이 제자리에서 한 바퀴를 돌며 칼을 휘두르다가 칼을 놓치고 바닥에 넘어졌다. 식칼은 날카로운 쇳소리와 함께 바닥에 몇 번 튀다가 마지막으로 시혁의 신발에 닿으며 멈추었다.

시혁은 혹여나 주변에 있던 다른 바이러스 발현자들의 이목을 끌지 않았을까 조심스레 주위를 둘러본다. 다행히 방금까지 시혁 쪽을 쳐다보던 길 건너에 있던 세 명의 사람은 거리가 꽤 있었기 때문인지 별 관심이 없는 듯했다. 시혁은 땅에 붙어버린 듯한 자기 다리를 겨우 들어 한참을 달렸다.

결국 대종약국 앞에 도착한 시혁은 약국 앞에 설치되어 있는 자판기를 바라보았다. 자판기는 흰색과 파란색으로 꾸며져 있고, 상단에는 '약 자판기'라고 쓰여 있다. 높이는 거의 2m 정도 되어 보였다.

"후, 겨우 도착했네."

시혁은 거친 숨을 몰아쉬며 이마를 자판기에 거의 붙인 채 안에 들어있는 약을 살펴본다. 감기약, 해열제, 소화제, 진통제, 수면유도제, 지사제, 비타민, 반창고, 붕대 등 여러 의약품이 진열되어 있었다.

"1, 2, 3, 4, 5... 저기 8번. 8번이면 되겠다."

파란색과 노란색으로 된 작은 박스에 들어 있는 종합감기약 앞에 적힌 번호를 보고, 자판기 우측에 붙어있는 터치스크린에서 8번을 누르는 시혁. 약에 대한 간단한 설명과 오용과 남용 등에 따른 부작용과 관련된 약관을 가능한 한 빠르게 넘기기 위해 검지로 한참 동안 스크린을 두드린다. 곧이어 스마트 워치를 가져다 대어 결제를 마치자, 경쾌한 효과음과 함께 자판기가 떨리기 시작했다.

몇 초 후 자판기 내에서 덜그럭거리는 소리와 함께 약이 자판기 하단부로 떨어진다. 얼른 쪼그려서 약을 꺼내 주머니에 넣는 시혁. 왼손에는 아까 폈던 호신용 봉을 꼭 쥔 채 서둘러 약국을 떴다.

7

무사히 집에 도착한 시혁은 혹시나 다시 자고 있을 수아를 생각해서 문을 최대한 조심스럽게 연다.

"아빠 왔어?"

수아는 소파 위에서 축 늘어져 있었다. 나가기 전보다 더 상태가 안 좋아 보이는 수아는 여전히 코를 훌쩍였고, 이마는 불같이 뜨거웠다. 시혁은 서둘러 약상자를 뜯어 하얀 캡슐로 된 감기약 2정을 꺼냈다. 냉장고 문을 열며 시계를 확인해 보니 시간은 어느새 12시 38분이었다. 시혁은 냉장고에서 물이 절반 정도 남은 생수병을 꺼내 컵에 물을 따른 후 수아에게 약과 같이 마시게 하며 말했다.

"약 넘기고 나서 바로 자야 하는데 괜찮겠어?"

"나는 아까 조금 자서 괜찮은데, 아빠야말로 빨리 자야 하지 않아?"

수아는 코맹맹이 소리를 내며 말했다.

"10분 만에 어떻게든 잘 수 있겠지. 대충 씻고 바로 자야겠다."

말은 그렇게 했지만, 시혁은 조금 전 밤거리에서 있었던 일 때문에 아드레날린이 아직 과하게 분비되는 느낌을 지울 수가 없었다. 그리고 이렇게 급박하게 수면시간이 얼마 안 남은 것도 처음이라 머릿속이 복잡해지는 시혁은 일단 따뜻한 물로 세수하며 진정하려고 했다. 그러다 문득 화장실을 나와 옷장 앞에서 어제 입었던 바지를 뒤지더니, 하얀 약 7정이 있는 약상자를 꺼냈다.

"다행이다. 챙기기 잘했어."

이전에 김 사원의 자리에서 챙겼던 수면유도제였다. 수아가 방금 물을 마신 컵에 물을 다시 붓고 수면유도제를 삼키곤, 수아에게도 약을 한 정 건네었다.

"수아야, 그래도 오늘 혹시 모르니까 수면유도제 이거 하나 먹고 자자. 이제 진짜 자야 해."

수아는 머뭇거리다 알약을 받았다. 시혁이 시계를 다시 확인하는 동안 수아는 눈치를 보다가 오른손을 입에 가져다 대고 물을 마셨다. 그리곤 허벅지가 가려운지 주머니에 손을 넣어 허벅지를 긁어댔다.

"아빠는 이제 진짜 얼마 안 남아서 바로 자야 하니까 약 먹고 너도 방에서 바로 자렴. 방까지 다시 갈 수 있겠어? 아빠가 안아서 데려다 줄까?"

"감기약 먹어서 방금 보다 괜찮아진 것 같아. 걸어갈 수 있어."

수아는 소파에서 엉거주춤 일어나며 말했다.

"알겠어, 잘 자렴."

시혁은 수아의 머리를 한 번 쓰다듬어주었다.

"아빠도 잘 자."

휘청이며 걸어가는 수아의 뒷모습을 지켜보는 시혁은 방에서 수아가 침대에 눕는 소리가 들리고 나서야 겨우 눈을 감았다.

다음 날 아침. 8 시 30 분을 알리는 알람 소리가 시혁의 시계에서 울려 퍼졌다. 시혁은 겨우 눈을 뜨고 일어나 스마트 워치 화면을 확인했다.

"약 이거 어디서 구했길래 효과가 이렇게 좋지? 알람 3 개를 무시하고 잤네."

"아빠 깼어?"

수아가 머리가 산발이 된 채로 눈을 비비며 거실로 걸어 나온다. 목은 좀 잠겼고 아직 좀 피곤해 보였지만 코도 어제보다 덜 훌쩍이고, 전반적으로 어젯밤보다는 확실히 괜찮아 보였다. 시혁은 수아에게 다가가 제일 먼저 이마에 손부터 얹어본다. 양쪽 귀도, 목덜미도 만져본다.

"열은 이제 내렸네, 다행이다. 어제 약 먹고 바로 잘 잤어? 잠은 수면제 때문에 어쩔 수 없이 푹 잤지만 얼마나 걱정했으면 꿈에서 널 안고 사방팔방 뛰어다니면서 이쪽 병원 저쪽 병원 다니느라 고생했는지 몰라. 다행이다. 어제 고생해서 구해온 감기약이 효과가 진짜 좋았나 봐. 수아야, 버텨줘서 고맙다."

체온 확인이 끝나고 나서 수아의 머리카락을 가다듬어주고, 품에 꼭 안아준 채 시혁은 계속 주저리주저리 중얼거렸다. 수아는 겸연쩍은 표정을 지으며 시혁의 품에 안긴 채 말없이 가만히 있었다. 시혁은 한참을 그러다가 수아를 놓아준 후 들뜬 목소리로 물어보았다.

"아직 몸살 기운이 있거나 목이 아프거나 하진 않아? 아침에 뭐 좀 먹을래? 죽이라도 해줄까? 아니면 샌드위치나 스파게티 같은 거? 네가 원하는 거 다 해줄 테니까 말만 해."

수아는 여전히 멋쩍은 표정을 지으며 머뭇거리다 기어들어 가는 목소리로 대답했다.

"지금은 따뜻한 죽이나 먹을래."

수아는 팔짱을 긴 채 소파에 누워 천장을 바라본다. 시혁은 부엌에서 부산스럽게 아침 준비를 하기 시작했다. 시혁은 곧 고소한 냄새와 함께 준비된 따끈따끈한 참깨죽을 국그릇 두 개에 붓고, 냉장고에서 깍두기를 꺼내 접시에 담아냈다.

식탁에 마주 앉아 아침을 먹는 시혁과 수아. 수아는 죽을 한 숟가락 뜨고 들다가 다시 그릇에 붓고, 다시 한 숟가락 뜨다가 다시 그릇에 붓기만을 반복했다.

"수아야, 지금 아파서 입맛은 없겠지만 먹고 힘내야 더 빨리 낫는 거야. 아빠가 먹여줄까?"

"아니에요. 혼자 먹을 수 있어."

다시 한 숟갈을 떠 이번엔 입안에 집어넣는 수아는, 그 후 아무 말도 하지 않고 한 그릇을 다 비웠다.

"다 먹었으면 아침에 일찍 병원 가자. 지금 가도 거의 한 시간은 기다려야 할 텐데 괜찮겠어? 약 하나 더 먹고 가자."

시혁은 어제 뜯었던 종합감기약 상자 안에서 감기약 2정을 꺼내고, 식탁에 있던 물이 절반 정도 남은 물컵과 함께 수아에게 건네준다. 수아는 왼손에 받은 감기약을 입에 털어 넣고 물과 함께 한 번에 마셨다.

8

약 한 시간 후, 대종약국에서 약 봉투를 들고나오는 시혁과 요구르트를 손에 꼭 쥐고 있는 수아. 시혁이 수아를 대견해하며 말했다.

"생각보다 금방 끝났다 수아 이제 다 컸네. 주사 맞아도 안 울고. 약사 아줌마도 장하다고 요구르트도 다 주시고 말이야."

"옛날에도 주사 맞는 것 정도로는 안 울었어. 괜히 부끄럽게 왜 그래."

"왜 그랬긴, 우리 수아 주사 맞는 표정이 귀여워서 그랬지. 주사 맞았을 때 아픈 건 괜찮은데 바늘이 피부에 들어가기 전에 얼마나 아플지 상상하는 것 때문에 얼마나 표정을 찡그리고 있는지 너도 나중에 직접 보면 좋을 텐데. 점심 사서 오늘은 집에서 먹자. 오늘 하루는 푹 쉬어야지."

조금 더 걷다 보니 금방 만둣가게 앞에 도착했다. 시혁은 가게 유리창에 붙은 만두 사진들을 이리저리 보다가 군만두와 찐만두를 주문했다. 주인아주머니께서 곧 찜기에서 김이 모락모락 나는 만두를 스티로폼 포장 용기에, 스티로폼 포장 용기를 다시 파란 비닐봉지에 담아주셨다.

"감사합니다."

수아가 고개를 꾸벅 숙이며 인사했다.

"그래, 맛있게 먹으렴."

만둣가게 아주머니도 싱긋 웃으며 대답했다.

조금 더 걷다 보니 어젯밤 감기약을 구하러 가다 식칼을 든 학생 발현자를 맞닥뜨렸던 그 거리가 나왔다. 여전히 많은 상가 창문 너머에는 미처 치우지 못한 물건들과 무채색의 벽과 바닥이 비쳐 쓸쓸한 분위기를 풍기고 있다. 그래도 꺄르르 웃음소리를 내며 삼삼오오 다니는 학생들, 어딜 다니던 꼭 붙어 다닐 것 같은 모습의 커플들, 군데군데 있는 음식점에서 나와 오토바이를 몰고 배달을 하는 배달원들은 예전보다는 수가 줄었지만, 여전히 자리를 지키며 아직은 이 거리가 사람 사는 곳임을 일깨워 주고 있다.

이곳에서도 역시 검은색 모자를 쓰고 형광 조끼를 입은 경찰 2명이 순찰 중이었다. 시혁은 경찰이 서 있는 곳까지 천천히 걸으며 무언가를 고민하다 경찰을 지나치기 직전에 경찰 앞에 멈춰서 말을 걸었다.

"저기, 순찰 중에 죄송한데 궁금한 게 있어서 그런데요."

"무슨 일 있으신가요?"

시혁이 앞에 서기 전부터 시혁을 쳐다보던 다부진 체격의 경찰이 중저음의 목소리로 되물었다. 그러자 수아가 시혁의 팔을 잡아당기며 말했다.

"아빠, 빨리 가자. 왜 그래?"

"수아야, 잠깐만. 별일 아니야. 아빠가 경찰 아저씨한테 궁금한 게 있어서 그래. 잠시 저기 저쪽으로 좀 돌아보고 있을래? 귀를 막고 있으면 더 좋고."

수아는 걱정하는 표정으로 고개를 끄덕였다. 그러고는

뒤로 돌아 한숨을 한 번 쉬고 양손을 들어 귀를 막았다. 뒤돌아있는 수아를 확인한 시혁이 다시 경찰에게 따지듯이 물었다.

"혹시 고요의 밤 시간대에 돌아다니는 바이러스 발현자들은 평소에 어디에 있다가 나타나는지 알고 있으신가요? 고요의 밤 때는 우리 모두 자야 하니까 그놈들이 활개치는 건 이해합니다. 하지만 지금 이 시간대에도 잠 못 자서 결국 가버릴 놈들 좀 미리 잡을 수는 없나 이거에요. 근래 경찰들 국가에서 엄청나게 많이 뽑은 걸로 아는 데 평소에 순찰하실 때 꽤 많이 보셨을 거 같은데요."

"저희도 특이하게 행동하지 않는 이상 누가 잠을 못 자서 증상이 발현되고 있는지 알 방법이 없습니다. 아무 사람이나 붙잡고 잠을 잤는지 못 잤는지 물어보면서 다닌다고 되는 건 아니니까요. 그래도 시민분들이 낮이라도 안전하게 다닐 수 있게 저희도 정말 고생 많이 하고 있습니다, 선생님."

"어제 제가 제 딸 감기약이 갑자기 급하게 필요해서 밤에 나갔었거든요. 나갔다가 칼 들고 다니는 발현자한테 죽을 뻔했는데 겨우 도망쳤습니다. 혹시나 감기약을 못 구했거나, 제가 칼에 찔려서 쓰러졌으면 그대로 저희 둘은 미쳐버리다가 가버리겠지요. 경찰들 많은데 고요의 밤 때도 좀 교대로 자면서 근무서기는 힘든가 싶네요. 돈도 많이 받을 텐데."

살짝 빈정거리는 시혁. 시혁과 대화하던 경찰은 한숨 쉬듯 심호흡을 한 번 크게 했다. 눈치를 보던 옆에 있던 약간 마른 몸매의 경찰이 대신 대답했다.

"저희도 다 똑같은 사람이고, 일정 시간 안 자면 평생을 못 자게 되다가 죽는 건 마찬가집니다. 일몰 되자마자 자고 중간에 일어나서 근무 돌고 다시 자는 건 너무 위험하지요. 수면의 질이 너무 떨어져서 혹여나 자다가 중간에 깨 버리면 누가 책임져 줍니까? 답변이 됐으면 이제 가던 길 가시지요. 화내는 건 이해하지만, 더 그러시면 비수면자로 판단하고 바로 시설로 보낼 겁니다."

주머니 속에 있는 무언가를 만지작거리는 경찰을 보고 시혁은 수아를 데리고 자리를 떴다. 조금 더 걷자 금세 아파트가 보이기 시작했다.

"아빠, 아까 왜 그랬어?"

수아가 시혁을 올려다보며 물었다.

"응? 뭐가?"

"경찰 아저씨한테 뭐라고 한 거 말이야. 아까 귀는 막고 있었는데 그래도 좀 들렸어."

"잠시 저기 긴 의자에 앉을까?"

시혁이 가리킨 곳에는 나무로 된 갈색 벤치가 있었다. 수아는 벤치에 거의 기어올라서 겨우 앉았다. 시혁도 수아의 옆에 앉았다. 시혁이 먼저 말했다.

"수아야."

"응?"

"아빠 없는 동안 집에서 TV 도 많이 보고, 우리 수아 똑똑하니까 잘 알겠지만 이제 앞으로 여기 있는 모든 사람이 당분간 많이 힘들게 지내게 될 거 같아. 아빠는 안 괜찮은데 괜찮다고 하는 것보다는 솔직하게 안 괜찮다고 말하고 대신 미리 대비할 수 있도록 하는 게 더 중요하다고 생각하거든?"

시혁의 말을 아무 말 없이 듣고 있는 수아. 시혁은 계속 말을 이어나갔다.

"아까 경찰 아저씨한테 왜 뭐라고 했는지 궁금하다고 했지? 어제 우리 집에 도둑이 들었을 때, 밤에 수아가 아팠을 때, 경찰 아저씨는 아무런 도움을 주지 못했어. 어디를 가든 경찰이 있지만, 지금 경찰들은 예전 경찰들과는 전혀 달라서 그저 어떤 연유에서든 잠을 못 자게 되어버린 사람들에게만 관심이 있는 거야."

시혁은 발밑에 차이는 동전 크기의 자갈을 요리조리 굴리며 말하다가 앞으로 차버렸다.

"그래서 순간 조금 화가 나서 그랬어. 아빠도 알지. 경찰들도 아무 잘못 없다는 걸. 그나마 지금 경찰 아저씨들이 저렇게 큰 길목마다 돌아다니니까 겨우 우리도 돌아다닐 수 있다고. 수아 어릴 때 동해에 간 적이 있는데 기억나니?"

"응. 기억나. 맨발로 모래밭에 들어간 거랑 차가운 바다에서 놀다가 나와서 뜨거운 햇볕 아래에서 컵라면 먹었던게 생각나."

"맞아. 그리고 그때 아빠가 모래성 땅따먹기하는 법도 가르쳐줬지."

잠시 그때의 기억을 떠올려보던 수아는 곧 시혁을 보며 말했다.

"쌓아둔 모래를 손으로 퍼내다가 꽂아둔 나뭇가지가 쓰러지면 지는 게임 말하는 거야? 아빠가 거의 다 이겼잖아."

"그때 아빠가 어떻게 쉽게 이겼는지 말해줬었는데, 기억나니?"

수아는 대답 대신 어깨를 한 번 으쓱거렸다.

"모래가 많은 처음에는 서로 양손으로 많이 퍼냈지. 모래가 많을 때는 혹시나 실수로 나뭇가지를 건드려도 웬만해선 쓰러지지 않아. 하지만 모래가 얼마 남지 않았을 때, 진짜 툭 치면 넘어갈 것 같을 때, 그때부터가 게임 시작인 거지."

시혁은 지갑에서 명함을 한 장 꺼내 돌돌 말기 시작한다. 그리고 의자에 앉은 채 허리를 숙여 길바닥에 깔린 벽돌 사이에 명함을 세워서 끼우고 다시 자세를 고쳐잡는다.

"이제 모래가 별로 없으니까 정말 조금씩, 천천히 모래를 덜어내야 하는데, 이때는 정말 조심해야 하잖아? 그때부터는 아무도 모래를 한 움큼씩 쥐려고 하지 않아. 조금씩, 아주 조금씩 모래를 빼내지."

"아빠가 나는 모래를 너무 많이 빼려고 한다고 그랬었어."

"그래. 이 게임은 모래를 많이 뺏는다고 이기는 게임이 아니야. 나뭇가지가 쓰러지지 않게 하는 게임이지. 그래서 나중에는 살짝 건드려서 모래 알갱이 몇 알이라도 빠져나온다면 내 차례는 넘겼다며 좋아하게 돼. 하지만 아무리 게임을 해도 변하지 않는 게 하나 있어. 뭔지 알겠니?"

수아는 꽤 오랫동안 고민한다. 시혁은 기다리다 바닥에 꽂아놓은 명함을 슬쩍 발로 건드려 넘어뜨린다. 그걸 본 수아가 시혁에게 말했다.

"나뭇가지는 항상 넘어진다는 거야?"

"그래, 결국 나뭇가지는 넘어지게 되어있어. 그게 지금 전 세계 상황이랑 비슷해. 모래가 이제는 정말 거의 남아 있지 않아. 다음 차례가 모래를 건드리러 오고 있어. 만에 하나 그 사람이 알갱이를 빼내는 데 성공해도 그다음 사람이 넘어뜨리겠지."

"그럼 어떻게 해야 하는데?"

"다음 게임이 시작되기만을 기다려야겠지. 나뭇가지가 다시 세워질 때를 말이야. 그러려면 적어도 그동안 나뭇가지가 부러지지 말아야 해. 이제 들어가자."

시혁은 바닥에 쓰러져있는 명함을 주워 주머니에 넣었다.

9

밤이 깊었다. 수아는 평소보다 더 짧아진 것만 같은 두 다리를 이끌고 어두운 거리를 달리고 있었다. 깜깜한 도시의 풍경이 수아의 뒤로 스쳐 지나간다. 수아의 뒤에는 초록색을 군데군데 띠고 있는 썩은 살과 검붉은 피로 뒤덮인 좀비들이 헐떡거리며 따라오고 있었다.

"꺄아아악. 도와주세요. 제발 누구 없나요."

수아는 공포에 질린 채 고막이 찢어질 듯한 목소리로 비명을 지르며 좀비 떼로부터 구원을 요청했다. 심장 소리는 드럼 소리보다 더 크게 들렸고, 숨소리는 점점 더 거칠어졌다. 아무리 달려도 좀비 떼는 점점 가까워지고 있었다.

좁은 골목길로 들어선 수아는 황급히 좀비들의 시야에서 벗어나기 위해 그림자 뒤에 몸을 숨겼다. 두 손으로 입을 막은 채 쪼그려 앉아 어떻게든 좀비들이 수아를 발견하지 못하고 그냥 지나치기를 빌었지만, 좀비 떼는 수아의 소리와 냄새를 따라 거리에 핏자국을 남기며 골목길로 들어서고 있었다.

결국 수아는 다시 일어나 자신의 앞에 나타난 회갈색 문을 열고 어느 집 안으로 들어섰다. 문 위에 달린 은은한 센서등이 켜진다. 수아는 문에 달린 잠금장치를 모조리 잠그고 벽에 등을 기댄 채 미끄러지며 바닥에 앉았다. 그러고는 다리를 뻗고 고개를 숙이면서 겨우 한숨을 돌렸다.

'툭'

그때 들리는 둔탁하고 불길한 소리. 고개를 들자 수아의 시야에 들어온 흰색 기둥에 누군가 손을 짚었다. 곧 하나둘 얼룩덜룩한 초록빛의 손들이 기둥을 뒤덮고, 팔이 수십 개가 달린 커다란 좀비가 지저분한 이빨을 드러내며 순식간에 수아에게 달려들었다.

"으아아악."

바닥에서 자다가 소리를 지르며 벌떡 일어난 수아는 온몸이 땀 범벅이었다. 거친 숨을 몰아쉬며 은은한 오리 모양 수면등 조명에 의존하여 주위를 둘러보는 수아의 시야에 분홍 앞치마와 빨간 매니큐어를 한 여자의 발이 눈에 들어왔다. 상체 위로는 두 손으로 무언가를 든 채 조작하고 있는 모습 외에는 방이 어두워서인지 잘 보이지 않았다. 여성이 조작하고 있는 무언가에서 삑삑거리는 소리가 몇 번 들리고 나서, 여성은 수아에게 기다란 하얀 베개를 안겨준 후 문을 열고 아무 말 없이 밖으로 나가버린다.

"안녕, 나는 숨 쉬는 베개 친구 수피야."

베개 전면부의 평평한 회색 천에서 하나둘 주황색으로 빛나는 점들이 나타나더니 웃는 표정을 이루었다. (＾_＾)

수아는 베개를 꼭 끌어안고 다시 누웠다. 수아의 호흡, 심장 박동 등등을 인식한 수피는 곧 편안한 음악과 함께 따뜻한 온기를 내뿜었다.

"무서워하지 마, 내가 지켜줄게."

눈을 꼭 감느라 표정을 잔뜩 찡그리던 수아는 점차 편안한 표정을 지으며 잠이 든다. 거칠었던 숨소리가 규칙적이고 차분하게 바뀌자, 수피도 잠을 자는 표정의 이모티콘을 얼굴에 띄웠다. (Z_Z)

– 엄마의 품처럼 따뜻하고 부드러운 로봇 베개 수피. 당신의 아이에게 최고의 수면 친구를 선물해주세요. 수피.

TV 화면에는 잠을 자는 수아와 수피의 모습 위로 베개 회사의 로고가 비치고, 은은한 마림바 소리로 연주한 듯한 자장가 노래가 느리게 재생되었다. 화면 오른쪽 아래에는 깨알 같은 글씨로 다음과 같이 적혀있었다.

'이 광고는 시청자의 얼굴 정보를 사용하기 전에 동의를 구하고, 그에 따라 맞춤형으로 제작된 AI 광고입니다.'

소파에 앉아 TV를 쳐다보던 수아와 시혁은 꺼림칙한 표정으로 서로 쳐다봤다.

"또 까먹었네. 다음에 꼭 맞춤 광고 풀어놔야겠다."

"낮에 아빠 얼굴 나오는 광고도 몇 번 나왔어. TV에서 아빠 얼굴 보면 좋은데 취소 안 하면 안 돼?"

"알겠어. 대신 나이 제한을 조금 걸어야겠다. 방금은 네가 나오기에는 너무 잔인한 거 같은데."

"나도 다 컸어. 저 정도는 괜찮아."

먼저 TV로 고개를 돌리며 소파에 등을 기대는 수아는 앞에 있는 테이블에 다리를 올렸다. 시혁도 수아를 따라서 다리를 테이블에 올렸다. TV에서는 연구소 건물과 흰색 실험복을 입은 사람들을 막 보여주고 있는 참이었다. 현악기를 중심으로 한 느린 오케스트라 음악이 같이 들려왔다.

- 안녕하십니까, 한국감염병연구소 연구소장 최용현입니다. Zzz 바이러스는 이미 전 국민을 감염시켰다고 봐도 무방합니다. 다행히 단순히 바이러스에 감염된 것만으로는 인체에 어떠한 해도 끼치지 않습니다. 다만 해가 지고 나서 잠을 일정 시간 이상 못 자면 영원히 불면증에 시달리다 죽는 치명적인 바이러스입니다. Zzz 바이러스는 인류의 멸망을 초래할 수 있는 최악의 바이러스입니다.

Zzz 바이러스의 특징과 위험성을 강조하는 문구와 영상이 나왔다. 화면에는 잠을 자지 못한 채 점점 피폐해져가는 사람들의 모습을 연속해서 비춰주고 있었다.

그다음 장면은 최용현 박사가 연구실에서 실험하는 모습과, 잠을 자지 못해 예민해진 쥐가 치료제를 투여받은 후 잠이 드는 모습이 보였다. 그와 동시에 여성 해설자의 목소리가 들려왔다.

- 한국감염병연구소 Zzz 바이러스 TF는 Zzz 바이러스에 대한 치료제 개발을 위해 온 힘을 다하고 있습니다.

최용현 박사가 직접 이끄는 연구팀은 Zzz 바이러스의 유전자 구조와 감염 메커니즘을 최초로 밝혔습니다. Zzz 바이러스 TF 의 목표는 Zzz 바이러스에 감염된 환자들의 수면 패턴을 정상화시키고, 불면증으로 말미암은 신경계 장애를 완화하며, 부작용 없이 사용할 수 있는 치료제를 개발하는 것입니다.

그 후 연구소를 향한 후원자들의 격려, 소망의 문구들이 위에서 아래로 움직이며 나열되고 있었다. 그와 동시에 해설자가 계속 말을 이어나갔다.

– 여러분의 작은 도움이 저희에게 큰 힘이 됩니다. 지금 바로 한국감염병연구소 홈페이지에서 후원 방법을 확인하고, 함께 Zzz 바이러스에 맞서 싸워주세요.

마지막으로 한국감염병연구소의 실제 주소, 홈페이지 주소, 전화번호와 QR 코드를 비춰주며, 다음과 같은 문구가 나왔다.

'한국감염병연구소는 Zzz 바이러스에 대항할 수 있는 항체를 가지고 있는 사람들을 찾고 있습니다. 만약 여러분 혹은 주변 사람이 일몰 이후 잠을 제대로 자지 못했던 경험이 있음에도 이후 정상적으로 수면을 취하고 있다면, 저희에게 연락해주세요. 여러분의 혈액은 인류의 희망, 인류의 생명수가 될 수 있습니다.'

"광고 더럽게 기네."

시혁이 테이블 위에 올렸던 다리를 들어 허공에서 쭉 피며 스트레칭을 한 번 하고 다시 내려놓으며 말했다.

"쉿. 이제 시작해, 아빠."

수아는 시혁을 바라보며 오른손 검지를 자신의 입술에

가져다 댔다. 시혁과 수아는 TV 에서 틀어주는 고전 영화
에 빠져들며 남은 하루를 마무리 지었다.

10

며칠 뒤, 평소와 같이 출근 시간 3 분 전 사무실 문 앞
에 도착한 시혁은 처음 보는 사람들이 사무실에서 나오는
모습을 발견했다. 상체 근육이 드러나는 검정 반소매 티
를 입고 검은 모자를 쓴 사람 여러 명이 저마다 커다란
종이 상자를 들고 사무실 밖으로 나오고 있었다.

"죄송합니다, 지나갈게요."

아무런 대꾸도 하지 않는 근육질 사내들을 겨우 뚫고
시혁은 사무실 안으로 들어갔다. 박 과장을 비롯한 부서
사람들이 각자 자기 자리를 정리하고 있었다. 자리에 있
던 컴퓨터 본체와 모니터는 이미 없어졌고 키보드와 마우
스, 노란색과 흰색 랜선만 덩그러니 남겨져 있었다.

"어, 정 대리 왔어? 정 대리도 빨리 짐 싸. 빨리 안 싸
면 저 아저씨들이 그냥 마구잡이로 다 치워버릴지도 몰
라."

박 과장이 허탈한 표정을 지으며 손을 흔들었다. 시혁
은 자기 자리로 가 박 과장에서 조심스레 물었다.

"아니 박 과장님. 이거 무슨 일이에요? 부장님은 어디
갔고요?"

"부장이고 나발이고 이제 다 소용없어. 오늘부터 전부
그냥 아저씨, 아줌마지. 사장이 회사 싹 어디 매각해 버리

고 도망갔어. 뭔 빚 갚는 데 쓴다고 그러는지 그대로 공중분해 시켜버렸다는 말도 있던데 자세히는 모르겠다. 위에 있는 몇 명이 처리 도와준다는 조건으로 좀 챙긴 거 같아."

"네? 아무런 예고도 없이 이러는 게 말이 돼요? 이거 부당하고 아니에요?"

"지금 세상에 회사 망해서 사람 다 내보내는 게 한둘도 아닌데 누가 신경 써주겠어? 지금 지구 곳곳에서 실시간으로 무너지는 나라도 많은데 그깟 작은 회사 망한다고 누가 눈 깜빡해 주나? 그래도 완전히 맨몸으로 내던지는 건 아니라고 하니까 그거라도 위안으로 삼아야지 뭐."

더 이상 할 말이 없어진 시혁은 말없이 바닥에 쌓여있는 납작한 조립박스 중 하나를 집어 테이프로 바닥과 모서리 부분에 노란 테이프를 붙여 고정했다. 그러고는 상자를 의자에 올린 채 책상에 있는 물건들부터 서랍에 있는 자질구레한 물건까지 하나둘 상자 안에 집어넣었다. 수아와 둘이 놀이공원에서 찍었던 사진, 수아가 유치원에서 아빠를 만들었다며 가져왔던 기묘한 찰흙 인형, 낡은 필기구, 일정이 빼곡하게 메모가 되어있는 달력, 명함박스, 먼지가 소복하게 쌓인 책상 스탠드 등 오랫동안 자신의 자리를 지켜왔던 것들이 하나둘 상자에 채워졌다.

잠시 고개를 들어 주위를 둘러보니 다들 아무 말 없이 침울한 표정을 지으며 정리 중이었다. 사무실에는 테이프 뜯는 소리, 상자에 물건 담기는 소리, 그리고 이따금 들려오는 한숨 소리만이 불협화음을 이루고 있었다.

짐 정리를 마치고 사무실 사람들끼리 간단하게 서로 작

별 인사를 하고, 시혁과 박 과장을 제외한 나머지 사람들은 서둘러 자리를 떠버렸다. 근육질 사내들조차 잠시 단체로 휴식시간이라도 가지는 건지 사무실에 보이지 않았다. 시혁도 사무실을 뜨려는 찰나 박 과장이 시혁을 불렀다.

"정 대리. 아니 시혁아. 마지막으로 커피나 한잔하고 가지."

박 과장은 바지 뒷주머니에서 스틱 커피 2개를 꺼낸다. 그리고 미처 정리가 덜 끝난 휴게실에서 커피포트를 찾아 물을 끓였다. 잠시 후 커피가루가 부어진 종이컵에 팔팔 끓는 물을 붓고 스틱 커피 봉지로 커피를 젓고는 시혁에게 건네주었다. 시혁은 조심스레·커피를 받고 박 과장에게 물었다.

"박 과장님은 이제 뭐 하고 살려고 그래요?"

"아니 뭐 나는 당장 급하게 돈 나갈 것도 없고, 아버지 농사짓는 거나 좀 도와주면서 건강이나 좀 챙길까 생각 중이야. 애들은 서울에서 장학금 받으면서 학교 다니니까 계속 거기 있을 거고 나랑 마누라는 같이 시간 좀 더 보내고 좋지 뭐. 넌 어쩌려고 그래. 딸도 있는데."

"저는 뭐 다른 일자리 알아봐야겠지요. 요즘 워낙 하루가 멀다고 잠 못 자서 가버리는 사람들 많으니까 자리는 많지 않을까요? 안 그러려나."

억지웃음을 지어 보인 후 착잡한지 한숨을 푹 쉬는 시혁. 박 과장은 오른손 검지로 미간을 누르며 무언가를 고민하다 말을 꺼냈다.

"스트레스 많이 받으면 잠 못 자서 안 돼. 어차피 오늘

안 잘렸으면 저녁까지 집에 못 갔을 테니까 잠깐 시간 괜찮지? 잠시 기분전환하러 가자. 대신 다른 사람들한테는 오늘 어디 갔다 온 건지 말하면 안 된다."

"어디 가는데요?"

"아 그런 데가 있어. 그냥 따라와."

박 과장은 시혁의 팔을 잡아끌어 밖으로 나오게 했다. 그리고 건물 밖에 시혁을 두고 잠시 어디론가 전화를 거는 박 과장. 휴대전화를 붙잡고 한참을 이야기하다가 전화를 끊고 시혁에게 다가와서는 다시 팔을 잡고 억지로 자신의 승용차로 시혁을 끌고 갔다. 시혁은 박 과장의 행동에 기겁하며 말했다.

"아오, 따라갈게요. 그만 잡아당겨요. 도대체 어디 가길래 그러는 거에요."

시시덕거리는 박 과장과 영문도 모른 채 동행하게 된 시혁은 차를 타고 도로로 나섰다. 차는 도시 외곽으로 빠져나가 약 30분 정도를 달렸다. 시혁은 자동차 유리 너머로 도시 어딜 돌아다녀도 보이는 하늘을 찌를 듯한 건물들이 점차 낮아지다 하나둘 결국 사라지고, 그 자리를 나무가 대신 차지하는 모습을 넋 놓고 지켜봤다.

도착한 곳은 허허벌판에 놓여있는 꽤 큰 공장. 앞에 있는 거대한 철제문이 경고음과 함께 천천히 열리자 앞에서 대기하고 있던 25톤 트럭 여러 대가 공장 안으로 들어갔다. 한적한 구석에 차를 세우는 박 과장. 검지로 공장 구석에 있는 작은 출입구를 가리키며 말했다.

"마침 타이밍도 나쁘지 않은 것 같다. 저기 작은 통로로 들어갈 건데, 휴대폰은 차에 두고 가야 해."

"아니, 여기 뭐하는 곳인데 외진 곳에 휴대폰도 두고 들어가라고 하세요? 과장님 지금 저 여기 팔아넘기시려는 거에요?"

시혁의 말에 큰 소리로 웃는 박 과장. 박 과장은 한참을 웃다가 진정하며 말했다.

"아니 시혁아. 지금 나랑 너랑 같이 지냈던 세월이 얼만데 나를 못 믿어주냐. 그리고 내가 너 팔아넘길 거였으면 진작 아까 커피에 약 탔지. 너랑 나랑 덩치 차이가 얼만데 내가 무슨 깡으로 이렇게 단둘이 차 타고 왔겠냐. 일단 내려봐. 가면서 설명해줄게."

"농담이에요 농담. 알겠으니까 빨리 설명해봐요."

시혁과 박 과장은 나란히 자갈로 덮인 주차장에서 공장 입구까지 걸어갔다. 박 과장이 신 난 목소리로 설명을 시작했다.

"요즘 하루에 몇천 명씩, 어떨 땐 만 명 단위로 사람들이 불면증 때문에 괴로워하다 죽어나가잖아. 그 사람들이 어디로 가는지 알아?"

"지역별로 시설 있지 않아요? 거기서 장례식까지 다 한다던데."

"맞지. 예전에 코로나도 있었고 해서 그런지 대비를 잘해서 적어도 몇 달 전까진 잘 수용했지. 바이러스가 이미 전부 감염된 상태에서 잠만 잘 자니 못 자니만 신경 쓰면 되니까 얼마나 관리하기 편하겠어. 자진해서 들어가는 사람, 밖에서 행패 부리다가 끌려들어 가는 사람 상관없이 그냥 공간이랑 관리하는 인력만 세금으로 주야장천 부어서 마지막 며칠 잘 보내도록 신경 쓰면 되잖아."

50

"그랬었죠. 하지만 그게 오래가지는 못하겠죠."

"그래. 그런데 이게 예상보다 너무 오래가고 쓰는 돈도 너무 빨리 떨어지니까 문제가 생기는 거야. 게다가 변이 때문인지 예전이랑 다르게 하루도 빠짐없이 일정 시간만큼은 자야 하니까, 계속 깨끗한 방법만으로는 해결이 안 된다는 걸 안 거지. 그래서 상태가 너무 안 좋고 연락할 사람도 없는 사람들은 다 이런 곳으로 보내버린다고."

박 과장은 입구 앞에 있는 버튼을 누른다. '엘리제를 위하여' 도입부가 5초 정도 들리다 끊기고 무전기 특유의 백색소음과 함께 나긋나긋한 여자 목소리가 들려왔다.

– 무슨 용무로 오셨나요?

"배달 왔습니다."

– 무슨 배달이요?

"유칼립투스 잎이요."

– 네, 잠시만 기다려주세요. 금방 열어 드릴게요.

건물 안쪽에서 잠긴 문이 열리는 소리가 났다. 박 과장이 먼저 앞장서자 시혁도 따라 들어갔다. 짧은 복도를 지나자 뜻밖에 공장 외부와는 다르게 넓지는 않지만 깔끔한 베이지 톤의 라운지가 눈앞에 나타났다.

"이야, 결국 싹 뜯어고쳤네. 장 사장이라고 내 친구가 여기 공장 운영하고 있어. 나도 초기 투자금을 좀 대서 꽤 돈을 많이 만졌지. 아, 저기 오네. 장 사장."

"여, 빨리 왔네."

로비 반대편에서 검붉은 얼룩이 군데군데 묻은 작업복을 입은 채, 장갑을 쥔 손을 흔들어 보이며 다가오는 키 작은 남성이 다가왔다. 시혁보다 거의 머리통 하나는 더 작아 보이는 장 사장은 옷에 묻은 것과 똑같은 얼룩이 진 듯한 장갑을 주머니에 넣으며 먼저 시혁에게 악수를 청했다. 얼떨결에 악수를 받는 시혁에게 장 사장이 호탕한 목소리로 말했다.

"반갑수다. 내가 장 사장입니다. 밤에 잠은 잘 잡니까?"

"아, 네. 반갑습니다. 정시혁이라고 합니다."

"지금 마침 2명 여유분 있는데, 어떻게 할 거요?"

"네?"

박 과장에게 눈치를 주는 시혁. 이를 눈치챈 박 과장이 웃으며 시혁에게 말한다.

"아까 설명하다가 끊겼었네. 레이지룸이라고 알아? 방에 보호장구 차고 그릇이나 가전, 사람 모형 같은 거 막 때려 부수면서 스트레스 푸는 거 말이야. 그거랑 비슷한 거야. 딱 하나 다른 건 사람 모형이 아니라는 거지. 미리 말하면 고민하다가 안 올 거 같아서 지금 말하는 거야."

"아니, 과장님. 아무리 그래도......."

"알아. 알아. 나도 처음엔 좀 그랬어. '아무리 그래도 사람이잖아요.' 뭐 이런 생각이 들겠지. 그런데 여기 있는 샌드백들은 못 잔 지 일주일도 더 돼서 맛이 아예 가버리고 주위에 아무 연고도 없는 사람들이야. 감각도 거의 못 느껴. 게임 좋아하지? 게임에서 나오는 몬스터라고 생각해. 좀비 같은 거 있잖아. 정 찝찝하면 배경음악이라도 차분한 거 깔아줄게. 부담되면 누구 쓸 지도 먼저 골라."

장 사장도 대화에 끼어들어 몇 마디 보탰다.

"여기로 오는 모든 발현자들을 쓰는 건 아니고, 선별해서 진짜 회생불가인 인간들만 룸으로 보내고, 나머지는 인도적으로 잘 다루니 걱정 마시오. 나 믿고 많이 도와준 우리 박 사장 왔으니까 특별히 서비스 드리는 거요. 다른 사람들은 이거 하려고 예약을 몇 주 전부터 합니다. 오늘 체험할 대상은 저기 대기실에서 고를 수 있으니까 빨리 갑시다.”

작은 덩치와 대비되는 큰 제스처로 설명하던 장 사장은 말을 마치고 뒤로 돌아 조금 전에 있었던 로비 반대편으로 향해 걸어갔다.

“이거 한 번 할 때마다 사람들이 얼마나 내는지 알아?”

박 과장은 귓속말로 시혁에게 금액을 알려준다. 그러고는 복잡미묘한 표정을 지으며 아직 머뭇거리는 시혁을 뒤로하고 장 사장을 따라가고, 시혁도 하는 수 없이 박 과장 뒤를 따라갔다.

11

“안녕하십니까, HRR에 오신 걸 환영합니다. 저는 여러분의 도우미 제니입니다.”

대기실로 보이는 아담한 방에 들어가자마자 보이는 로봇이 셋을 반긴다. 자신을 제니라고 소개하는 이 로봇은 1.7미터 정도 되는 청록색의 원기둥 모양에, 상단부에는 360도 곡면 디스플레이가 둘려 있었다. 두 손을 모은 것을 표현하는 듯한 선이 그려진 제니는 상단부를 정면에 고정한 채 빙글빙글 돌며 장 사장에게 다가왔다.

장 사장이 디스플레이에 표시된 버튼을 몇 번 누르더니

곧 사지가 포박된 채 의자에 앉아있는 짧은 머리의 남자 하나가 디스플레이에 나타났다. 옷은 여기저기 찢겨나가 있고, 알 수 없는 말을 중얼거리고 있으며, 얼굴은 빨간 물음표 기호로 가려져 있었다.

"자, 이게 1번이요. 여기 설명도 간략하게 쓰여 있소. 이렇게 연령대, 성별, 신체 스펙, 비수면 기간, 그리고 간략한 신상정보도 나와 있어요. 신상정보는 개인을 특정하는 용도는 아니고, 참고 사항 정도로만 나와 있지요. 그래서 이름이나 거주지와 같은 정보는 공개하지 않아요."

"여기 얼굴 물음표 기호는 뭐지? 저번에 올 땐 이런 거 없었는데."

박 과장이 얼굴을 가리고 있는 물음표 기호를 가리킨다.

"아, 원래는 얼굴도 미리 공개했는데, 이렇게 얼굴을 비공개로 돌려놓고 미리 얼굴을 확인해 보고 싶어 하는 사람들에게만 돈을 더 받고 공개하니까 짭짤하더라고. 반대로 어떤 사람들은 끝까지 방에 있는 샌드백의 표정을 안 봤으면 하는 사람도 있어. 웃긴 건 그런 사람들이 샌드백을 더 박살을 내고 가는 경우가 허다하다, 이 말이야. 자 다음 2번도 보여줄게요."

장 사장이 검지로 화면을 밀어 넘기자 또 다른 발현자가 나타났다. 장발의 여성인 2번 발현자는 1번과는 다르게 묶여있지는 않고 넋을 놓은 듯 가만히 선 채 미동도 하지 않았다.

"이야, 20대인데 여기 오기는 쉽지 않은데. 이 발현자는 앞에 소개한 사람보다는 반응이 더 좋을 거요. 잠을 안 잔 기간이 1번보다 이틀은 더 짧으니까. 참고로 체험하는 사람의 안전을 위해서 들어가기 전에 보호장구는 완전히 착용하고 들어갑니다. 여기서 사고 나면 곤란하니까요. 무슨 말인지 아시죠?"

호탕하게 웃는 장 사장. 박 과장은 아쉬워하는 표정을 지으며 시혁에게 말했다.

"약속은 약속이니까 먼저 골라. 나는 다음을 기약하지 뭐. 장 사장이 진짜 큰맘 먹고 고른 거 같은데 말이야."

"아이, 당연하지."

박 과장과 장 사장이 실없는 잡담을 나누는 사이 한참을 고민하는 시혁. 화면을 이리저리 넘겨보다 한숨을 쉬고 결심했다.

"꼭, 정말 꼭 해야 한다면 1번 고를게요."

"그럴 줄 알았어. 역시 2번 고르기는 쉽지 않지?"

킥킥거리며 웃는 박 과장. 장 사장은 디스플레이를 다시 한번 이리저리 만졌다. 제니가 다시 한번 빙그르르 돌다가 멈추었다. 화면에는 제니의 캐리커처가 무언가를 설명하기 전 대기하고 있는 모습이 나타났다.

"자, 여기 간단한 교육 영상인데, 한 번 보고 나서 열쇠 들고 저기 저쪽으로 들어가면 돼요. 우리 박 사장은 저기로 바로 들어가고. 영상에도 나오는 내용이긴 한데 주어진 시간은 한 시간이고, 빨리 나오고 싶거나 위급한 상황이 생기면 벽에 있는 빨간 버튼 눌러요. 천장에 있는 카메라로 보고 있긴 한데 혹시 모르니까. 아시겠죠?"

"네, 알겠어요."

방 구조, 안전 수칙, 사용 시간 등등 간단한 소개 영상 시청을 마친 시혁은 장 사장이 가리킨 방으로 들어갔다.

방 안에는 헬스장이나 목욕탕에서 자주 보이는 하얀 캐비닛이 하나, 그리고 철제문이 하나가 있었다. 캐비닛 안에 있던 전신을 덮는 검은색 작업복, 하얀 안전모, 보안면, 그리고 회색 목장갑을 차례대로 착용하고, 시혁은 철제문을 열고 조심스레 안으로 들어갔다.

매끈한 노란 벽으로 된 방에는, 바깥에서 봤던 사지가 포박된 짧은 머리의 남성이 눈을 간신히 뜬 채 의자에 앉아있었다. 제니를 통해서 본 것보다도 더 상태가 좋지 않아 보였다. 얼굴은 화상 자국은 없지만, 살점이 거의 녹아내린 듯 흘러내렸고, 머리카락은 극심한 스트레스 때문에 스스로 쥐어뜯었는지 군데군데 몇 가닥만 남아있었다.

그리고 철제문 옆에 있는 바퀴가 달린 진열장에는 권투 글러브, 나무 야구방망이, 알루미늄 야구방망이, 골프채, 벽돌, 너클이 각자 자신을 사용해달라는 듯 자기 자리에서 존재감을 뽐내고 있었다. 시혁은 심호흡을 하고 나무 야구방망이를 손에 쥐었다.

야구방망이를 바닥에 쿵 소리가 나도록 몇 번 들었다가 내려놓지만, 남성은 아무 반응이 없었다. 시혁은 야구방망이를 든 채 혼잣말로 중얼거렸다.

"내가 지금까지 봐왔던 어떤 발현자보다도 상태가 안 좋네."

시혁은 야구방망이로 영혼이 빠져나가 버린 듯 넋을 놓은 남성의 머리를 조심스럽게 툭 건드려보았다. 별 반응이 없자 시혁은 남성을 바라보고 벽에 기댄 채 바닥에 양반다리로 앉았다.

– 방에 들어왔으면 즐겨야지. 뭐 하고 있어요? 야구방

망이로 힘껏 내리쳐봐요.

천장에 달린 스피커 너머로 들려오는 제니 목소리. 시혁은 손에 쥐고 있던 야구방망이를 바닥에 잠시 내려놓고 말했다.

"아무리 그래도 도저히 때릴 마음이 안 드네요. 어쨌든 같은 사람인데."

— 머뭇거리고 있군요. 그럼 이렇게 생각해 보는 건 어때요? 무조건 저 앞에 있는 발현자를 죽여야 한다고 생각하는 거예요. 그렇지 않으면 당신이 죽는 거죠.

"그건 통하지 않더라고요. 전에도 그런 적이 있어요. 딸아이 감기약을 구하러 나갔을 때 비슷한 상황이 있었는데, 그때도 결국 도망치고 말았어요."

— 실망이네요. 그때 만약 당신이 죽었다면, 저기에 앉아 있는 건 당신 딸이 될 수도 있었을 건데요. 뇌는 사포로 밀어놓은 듯 주름 하나 없이 매끈한 상태로 어떠한 생각도 하지 못한 채 가학적인 성향이 있는 누군가의 샌드백이…….

바닥에 앉아 제니의 말을 듣던 시혁은 제니의 말이 끝나기도 전에 벌떡 일어나 씩씩거리며 손에 쥐고 있던 야구방망이로 벽을 세게 내리쳤다. 충격이 손을 타고 온몸으로 전해졌지만, 시혁은 전혀 신경 쓰이지 않았다. 제니는 잠시 멈췄다가 계속 이어서 말했다.

— 제가 하고 싶은 말은, 자신을 위해서라도 남을 해치기 힘들면, 남을 위해서 하란 말이에요. 원래는 스트레스를 내려놓기 위해서 시원하게 때려 부수는 곳이지만, 당신은 여기에서 오늘 다른 걸 얻어가겠네요. 벽에 상당한

손상이 생긴 걸 보니 이제 준비가 된 것 같습니다. 40 분 뒤에 다시 알려 드릴 테니까, 그때까진 알아서 하세요.

시혁은 바닥에 야구방망이를 질질 끌면서 남자에게 다가갔다.

한편, 모니터 수백 개가 달린 어느 방에서 검은색 가죽 소파에 세상 편한 자세로 앉아 있는 장 사장. 장 사장은 왼손에는 맥주 캔을 든 채 오른손에 들고 있는 끝이 빨간색인 지시봉으로 모니터 어딘가를 빙글빙글 돌리며 가리키면서, 책상 위에 떠있는 제니 홀로그램에게 지시했다.

"저기, 361 번 맞지? 361 번 화면 확대해 줘. 소리는 틀지 말고 대신 전에 듣던 타란툴라인가 그거 틀어줘."

- 네, 알겠습니다. 리스트의 타란텔라 재생하겠습니다.

확대된 361 번 화면에는 형체를 알아보기 힘들 정도로 망가진 발현자에게 골프채를 사정없이 내리치고 있는 시혁의 모습이 출력되고 있었다. 박살 난 의자, 피 묻은 야구방망이와 부서진 벽돌은 바닥에 나뒹굴고 있었고, 인간 샌드백은 온몸이 피범벅이 된 채 아직도 이따금 움찔거리고 있었다.

장 사장은 맥주를 홀짝 마시면서 소파에 몸을 축 늘어뜨렸다.

12

"박 과장님. 오늘 여기 데려온 이유가 뭐예요?"

피범벅이 된 보호구를 전부 벗고 깨끗하게 씻은 후 로

비에 도착한 시혁은 먼저 자신을 기다리고 있는 박 과장을 보고 물었다.

"아니, 그냥. 이제 회사도 없고 수아도 지켜야 할 건데 준비 좀 시켜주려고 그랬지. 내가 아는 시혁이라면 이게 필요할 거 같아서 말이야. 험한 세상 사는 데 조금 도움이 됐나?"

"혹시 과장님은 오늘......."

"하하하, 그게 신경 쓰였나? 당연히 곤죽을 먹여놨지. 잠을 못 잔지 그리 오래 안 되어서 그런지 반응도 아주 좋던데. 말은 못 해도 소리는 지르더라고."

표정을 찡그리는 시혁을 본 박 과장은 다시 한번 웃음보를 터뜨렸다.

"농담이야. 농담. 털끝 하나도 안 건드렸어. 일부러 장 사장한테 부탁해서 네가 못 고를 것 같은 발현자 하나 넣어서 둘 중 하나 고르라고 한 거야. 그래야 좀 뭐랄까, 네가 직접 선택하는 모양새가 되어서 그래도 조금 더 적극 때리지 않을까 싶어서 말이야. 나도 그런 이상한 취미 있는 쓰레기는 아니야. 다 돈 때문에 하는 거라고."

"알겠으니까 빨리 돌아가죠. 피곤하네요."

"그래도 나는 혹시나 만약에 밖에서 발현자가 달려든다면 그게 남자든 2번 같은 여자든 어린애든 노인이든 상관없이 나나 우리 가족을 위해서 언제든지 야구방망이를 들 준비는 되어있어. 그때는 너도 그래야 하겠지. 이제 가자. 장 사장이랑은 아까 다 인사하고 마무리하고 간댔으니까 바로 가면 될 거야."

박 과장의 승용차에 탑승하는 시혁과 박 과장. 처음 공장에 들어왔을 때 봤던 거대한 철제문이 경고음과 함께 천천히 열리고 25 톤 트럭 여러 대가 공장 밖으로 나오는 모습을 뒤로한 채 비포장도로로 나섰다.

"바로 집으로 갈 거야?"

출발할 때부터 승용차 안에서 이어진 약 5 분간의 침묵을 깨고 박 과장이 시혁에게 물었다. 진이 빠진 듯한 시혁이 힘겹게 대답했다.

"차가 회사에 있으니까, 일단은 회사 쪽으로 가야 할 것 같네요."

"수아한테는 뭐라고 하게? 아빠 회사 잘렸다고 할 수는 없잖아."

"잘린 게 아니라 회사가 망한 거니까 어떻게든 잘 말해야겠지요."

포장도로가 나오자, 박 과장은 핸들 오른쪽에 달린 버튼을 누르고 운전석을 뒤로 젖혀 편한 자세로 기댔다. 핸들은 차선을 따라서 자동으로 움직이고 있었다. 차가 알아서 잘 나가는 걸 확인한 박 과장이 인자한 목소리로 시혁에게 말했다.

"요즘 애들은 참 똑똑하지 않아? 그래서 그런지 걱정도 참 많고 말이야. 수아한테는 잘 설명해 줘."

"박 과장님. 그동안 고마웠습니다."

"응? 나도 뭐 너한테 도움 많이 받았지. 힘들면 언제든지 연락하고. 아직 집까지 가려면 좀 멀었으니까 벌써 이러지 말자. 알잖아."

시혁도 좌석을 뒤로 젖히고 팔짱을 끼고 차 천장을 바라본다. 회색 톤의 천장은 시혁에게는 어느새 영화관의

스크린이 되어 그동안 있었던 일들이 하나하나씩 비치는 것처럼 느껴졌다.

시간은 쏜살같이 흘러가 어느새 차량 유리 너머로 익숙한 풍경들이 눈에 들어오기 시작했다. 잠깐 눈을 감은 시혁은 어깨를 툭툭 건드리는 박 과장 때문에 잠깐의 꿀맛 같은 낮잠에서 깼다.

"다 왔어. 지금 자면 밤에 못 잔다."

"잔 거 아니에요. 잠시 생각하고 있었어요."

"그래, 그래. 알겠으니까 눈 떠. 나는 바로 가볼 거니까 저기 앞에 내려줄게."

오른손으로 회사 건물 밖 인도 쪽을 가리키다 한숨을 푹 쉬는 시혁을 본 박 과장은 바깥을 가리키던 손으로 시혁에게 악수를 청한다.

"이제 정신 차리시고, 다음에 언제 볼지 모르지만 힘들면 연락해. 이제 진짜 가야 할 시간이다."

"네. 그동안 즐거웠습니다. 잘 지내시고, 잘 주무시고요."

시혁은 오른손으로 악수를 받고 나서 오른손 검지와 중지로 '잠자다'라는 뜻의 수어를 표현하고 차에서 내렸다. 박 과장도 똑같이 받아준 후 운전대를 잡고 급하게 자리를 떴다. 자신의 차로 돌아가 운전석에 털썩 앉는 시혁은 잠시 무언가를 고민하다가 출발했다.

곧 아파트에 도착한 시혁의 손에는 파란 스웨터를 입은 곰돌이 인형이 있었다. 수아의 보라색 비밀 수첩이 들어있는 곰돌이 인형보다 약간 작지만, 짝이 잘 맞을 듯한 그런 인형이었다.

"아빠 오늘 일찍 왔어. 잘 있었지?"

문을 열고 현관으로 들어가는 시혁. 하지만 어떤 대답도 들려오지 않았다.

'될 수 있으면 낮잠은 자지 말라고 했었는데 또 자고 있나 보네. 오늘은 일찍 왔으니까, 같이 바깥에 좀 돌아다녀야겠다.'

인형을 들고 방으로 들어가 보는 시혁. 방에 자고 있어야 할 수아가 보이지 않았다. 인형을 떨어뜨리고 옷장, 화장실, 베란다 등 수아가 있을 만한 온 집을 다 뒤져보지만, 그 어디에도 수아는 보이지 않았다. 당황한 시혁은 한 번 더 똑같이 집을 뒤져보지만, 여전히 수아는 그 어디에도 없었다.

13

시혁은 거실에서 불안에 떨며 뱅뱅 돌다가 휴대전화로 급하게 어디론가 전화를 걸었다.

- 아파트 관리실입니다.

"네, 안녕하세요. 102동 804호 주민인데요. 혹시 아파트 CCTV를 좀 볼 수 있을까요?"

- 안녕하세요. 무슨 일인가요?

"제 딸이, 제 딸이 없어졌어요. 혹시 누가 침입했는지, 언제 나갔는지 알 수 있을까요?"

- 음, 원칙상 CCTV는 개인정보와 관련 있어서요. 사진 보내주시면 제가 확인해서 그 부분만 보여 드릴 수는 있습니다. 아니면 먼저 112에 전화하시고 나서 경찰관이

오면 경찰관이 확인하게 하는 것도 가능합니다.

"아니 지금 애가 없어졌다는데, 그래도 안 되는 건가요? 지금 바로 관리실 찾아가서 직접 찾아보고 싶은데."

- 네, 죄송합니다. 급한 건 이해합니다만 제가 해드릴 수 있는 선에서 최대한 도와드리겠습니다. 아이 사진이랑 자리를 비우신 시간대를 말씀해 주시면 찾아보겠습니다. 지금 문자 넣어 드린 번호로 사진과 시간대를 보내주시면 바로 확인하겠습니다.

동동거리며 거실을 더 산만하게 돌아다니는 시혁은 급한 대로 수아와 같이 찍은 사진 몇 장을 바로 보냈다. 그리고 전화를 끊고 또 다른 곳으로 전화를 걸었다.

- 긴급 신고 112입니다.

"우리 딸 좀 찾아주세요. 퇴근 일찍 하고 집에 와보니까 집구석 어디에도 없어요."

- 네, 바로 실종 아동 접수 도와드리겠습니다. 보호자 성함, 아이 이름, 성별, 나이, 그 밖의 특징 말씀해 주시겠어요?

"저는 정 시 혁 이고요. 딸 이름은 정 수 아 입니다. 올해 8살이고, 키는 125cm, 검은 단발머리를 하고 있고, 어, 음, 아 맞다. 오른손에 큰 점이 있습니다. 최대한 빨리 수사 부탁드리겠습니다. 절대 저 없이 어디 나갈 애가 아니거든요. 한 번도 그런 적 없고요."

- 지금 전화해 주신 분 주소가 예림포레스트빌하모니 102동으로 확인되는데, 여기가 맞을까요?

"네, 맞습니다. 혹시 진척이 생기면 바로 이 전화번호로 연락 부탁드리겠습니다.

- 네, 알겠습니다. 바로 주변부터 수소문해 보도록 하겠습니다.

그때 갑자기 문밖에서 들리는 발걸음 소리. 누군가가 문 앞에 멈춰 서서 도어락 버튼을 누르기 시작했다. 총 8자리를 눌렀으나 문을 여는 데는 실패했다. 시혁은 현관문을 노려보며 목소리를 낮추며 대답했다.

"네, 감사합니다."

급하게 전화를 끊고 현관 인터폰을 확인해 보지만, 카메라에는 아무도 보이지 않았다. 누군가 다시 한번 버튼을 누르기 시작하자 시혁은 일단 방으로 들어가 전에 사용했던 삼단봉을 찾았다.

이번에는 정상적으로 문이 열리고, 익숙한 콧노래 소리가 들려왔다. 수아가 아이스크림을 쪽쪽 빨아 먹으며 집으로 돌아온 것이었다. 시혁과 수아는 서로 마주 보고는 잠시 움직임을 멈추었다. 시혁은 아무 걱정 없이 천진난만한 표정으로 돌아온 수아에게 다가가다 말고 거실에 멈춰 섰다. 당황한 수아가 먼저 말을 꺼냈다.

"아, 아빠? 왜 이렇게 일찍 왔어? 회사에 있을 시간 아니야?"

"정 수 아. 아빠 없을 땐 밖에 나가지 말라고 했잖아. 없어져서 얼마나 걱정한 줄 알아? 밖이 얼마나 위험한데."

"아이스크림을 너무 먹고 싶어서 바로 앞에 편의점만 갔다 온 거야. 그리고 며칠 전까진 한 번도 나간 적 없는데, 이번엔 진짜 이유가 있어."

"뭐? 그러면 어제도 나간 거야? 집이 너무 답답한 건 알지만, 학교도 문 닫을 정도로 지금 전 세계가 위급한 상황인 거 잘 알잖아. 왜 그런 거야? 아이스크림 내려놓고 말해봐."

단호한 시혁의 목소리에 바짝 얼어붙은 수아는 아이스크림을 식탁에 두기 위해 천천히 걸어갔다. 그때 거실을 채우는 시혁의 벨 소리에 시혁은 휴대전화를 꺼내 들었다. 아파트 관리실이었다.

"네, 여보세요."

– 아파트 관리실입니다. 102 동 804 호 주민분 맞으시죠? 따님 언제 집 밖으로 나갔는지 확인했습니다. 화면 사진이랑 시간 문자로 바로 보내드리겠습니다.

"감사합니다. 저, 방금 제 딸이 집에 돌아왔거든요. 그래도 고생 많으셨습니다."

– 혹시나 모르니까 한 가지만 더 확인하겠습니다. 아동 실종 건으로 저희가 경찰에 일단 신고를 한 상태라서요.

"어떤 걸 확인해야 하는데요? 애 목소리라도 들려주면 되나요?"

수아는 시혁이 통화를 하는 동안 눈치를 보다가 마지막으로 아이스크림을 한 번 크게 빨아먹고, 자신의 방으로 가 한 손에는 빨간 스웨터를 입은 곰돌이 인형, 다른 손에는 시혁이 가져온 파란 스웨터를 입은 곰돌이 인형을 들고 시혁의 앞에 놓았다. 그리고 빨간 스웨터를 입은 곰돌이 인형 등 뒤에서 보라색 수첩과 함께 자그마한 투명 지퍼백을 같이 꺼냈다.

"저기, 아빠? 화내기 전에 먼저 설명할 게 있어. 얼마 전에 나 감기 걸렸던 날 있잖아. 나 그때 아빠가 준 수면제 안 먹었어. TV 에 나왔던 수면제 광고에서 감기약이랑 같이 먹지 말라고 했던 게 기억나서 먹는 척만 하고 손에 몰래 숨겼어."

"응? 그게 무슨 말이야?"

수아는 지퍼백을 아빠한테 건네었다. 안에는 시혁이 사무실에서 가져왔던 하얀 약 한 정이 있었다. 시혁은 휴대전화를 내려놓고 약을 살펴봤다. 수아는 덤덤하게 계속 말을 이어 나갔다.

"감기약만 먹었지. 감기약 먹고 괜찮아지면 바로 잘 수 있을 거 같아서 그랬어. 그래서 눈도 꼭 감고 누워있었어. 그런데 생각보다 많이 아파서 못 잤어."

"못 잤다고? 얼마나? 설마."

"새벽 4시까지는 계속 못 잤을걸? 내가 몇 번이나 시계를 봤는데, 해 뜨기 전까지 3시간 정도 잔 것 같아."

다리에 힘이 풀려버린 시혁은 바닥에 엉덩방아를 찧기 전에 겨우 손으로 먼저 바닥을 짚는다. 충격을 받은 시혁은 한동안 아무 말도 하지 않다가 간신히 말을 꺼냈다.

"3시간...... 확실해?"

"확실해. 내가 예전에 아빠한테 늦게까지 안 자고 일어나 있었던 적이 있었다고 했었지? 그때는 나도 아빠 말처럼 그게 꿈인지 아닌지 확실하지 않았는데, 이번에는 진짜 확실해. 이번엔 정말로 못 자서 나도 영원히 잠을 못 자고 괴물처럼 될까 봐 무서웠는데, 일기장에 썼던 말이 생각이 났어."

"일기장? 그거 말이니?"

시혁은 눈짓으로 수아가 들고 있는 보라색 수첩을 가리켰다. 수아는 일기장을 조금 더 높이 들어 보이며 말했다.

"응, 맞아. 여기 이 보라색 수첩은 내 비밀일기장이야. 저번에 잠을 못 잤다고 생각했던 그날 이후로 나도 TV 속에 나오는 사람들처럼 될까 봐 너무 무서워서 매일 일기를 썼었거든. 꽤 오래 썼어."

수첩을 펴서 이리저리 넘겨보던 수아는 곧 어느 페이지에서 멈추고 글이 적힌 부분을 시혁에게 보여주며 말했다.

"여기 이 부분이야. 내가 읽어 줄게."

수아는 헛기침을 한 번 하고 일기를 읽기 시작했다.

"만약 내가 다시 한번 제대로 잠을 못 잘 때, 이전엔 제대로 못 잤지만 지금 아무렇지도 않은 것이 순전히 내 착각이었거나 그저 꿈이었을 뿐이라면, 이젠 다시는 잠이 들지 못할 수도 있다. 그다음 날 밤이 되면 모든 게 밝혀지겠지. 나도 평범한 사람이란 걸.

내가 다시는 잠이 들지 못해 TV나 바깥에서 봤던 사람들처럼 변해버린다고 생각하면, 아빠와 웃으며 지낼 날이 얼마 남지 않는다고 생각하면, 아직 사귀지 못한 친구들과의 만남을 영영 가질 수 없다고 생각하면, 너무 두려워서 아무것도 못 할 것만 같다.

그래도 마지막으로 주어진 남은 며칠이 너무 짧게 느껴지더라도, 아무 의미가 없다고 느껴진다고 정말 아무것도 하지 않는 건 바보 같은 짓이 아닐까? 그래도 내가 좋아하는 일을 할 수 있는 시간이, 웃으며 보낼 수 있는 시간이 아직은 남아있는데, 다시는 하지 못한다고 지금부터 아무것도 안 한다면 온전히 나의 손해인걸.

차분하게 생각할 수 있는 지금 고민할 시간을 미리 아꼈기 때문에 그때가 왔을 때 조금이나마 더 시간을 알차

게 보낼 수 있을 것 같다는 생각이 든다. 기분이 좋다. 두려움이 나를 덮쳐왔을 때 오늘 생각한 이 내용이 나를 구해줄 구명조끼가 되어줄 수 있을 것 같다."

"수아야......"

시혁은 덤덤한 목소리로 일기를 읽고 있는 수아를 바라보며 눈물을 훔쳤다. 수아는 시혁과 식탁에 올려놓은 아이스크림을 번갈아 보며 눈치를 보다 시혁에게 물었다.

"잠시만, 아직 하고 싶은 말 덜 끝났어. 아이스크림 먹으면서 얘기해도 돼 아빠?"

"그래. 갖다 줄게."

시혁은 수아가 식탁에 둔 아이스크림을 가져와 수아에게 건네주었다. 달콤한 아이스크림을 한 번 세게 빨아먹고는 머리가 띵한지 잠시 얼굴을 찌푸렸다. 그리고 계속 말을 이어 나갔다.

"그래서 병원도 가고 만두도 먹고 아빠랑 모래성 놀이 이야기도 하고 영화도 보고 했을 때도 최대한 다른 생각 안 하고 아빠 생각만 했지. 그대로 밤이 됐고, 그날 있었던 일들만 생각하다가 눈을 감고 그대로 잠이 들었어. 아주 푹 잤어."

"확실해? 그러면 그 말은......"

"바이러스는 나를 못 괴롭히나 봐. 그날 일도 다 일기에 적었어. 그리고 혹시나, 정말 혹시나 몰라서 사흘 전에도 일부러 낮잠을 많이 자고 밤에는 아빠한테는 자는 척만 하다가 일어나서 조용히 놀다가 조금만 잤는데, 그다음 날 밤에도 아무 무리 없이 잘 잤어. 그래서 어제부터 아빠가 없는 동안 바깥에서 놀았어. 위험하지 않은 곳에서만 말이야. 이 정도면 이제 믿어줄 거지? 응?"

수아는 자신의 일기장을 시혁에게 준다. 시혁은 일기장을 휴대전화 위에 올려놓고 수아를 꼭 껴안아 주었다. 곧 거실은 수아와 시혁이 훌쩍이는 소리로 가득 찼다.

14

한참을 그렇게 꼭 껴안고 나서 겨우 진정이 된 듯한 시혁은 수아를 풀어주며 말했다.

"그러면 이제 어떻게 해야 하지? 아, 사실 수아 네가 어디 사라진 줄 알고 여기저기 전화를 했었는데 일단 그것부터 해결하고 계속 이야기하자."

"알겠어. 아빠. 잠시 화장실 좀 갔다 올게."

수아가 화장실에서 고양이 세수를 하는 동안, 시혁은 수아의 일기장 아래에 두었던 휴대전화를 막 잡으려는 찰나 휴대전화에서 통화 종료음이 들려왔다. 시혁이 휴대전화를 뒤집어 화면을 확인해 보니 아파트 관리실에서 방금 통화를 종료했다는 메시지가 출력되고 있었다. 바로 관리실에 다시 전화를 거는 시혁. 방금까지 통화했던 관리소 직원의 목소리가 다시 들려왔다.

– 아파트 관리실입니다.

"여보세요, 저 아까 전화했던 804호 주민인데요. 통화하다가 딸아이와 이야기 좀 하느라 대화가 끊겼네요. 뭐 해달라고 하셨었죠?"

– 아닙니다. 전화기 너머로 딸아이 목소리 충분히 확인

했습니다. 끊는다고 말씀드렸는데 못 들으신 것 같더라고요. 경찰 신고도 저희가 취소하기는 했는데 혹시 아버님께서도 연락하셨으면 다시 연락해 보시는 게 좋을 것 같습니다.

"아, 네 알겠습니다. 혹시 방금까지 전화가 안 끊기고 있었던데 알고 계셨나요?"

잠시 전화기 너머로 침묵이 흘렀다. 몇 초간의 정적 후 떨떠름한 듯한 관리소 직원의 대답이 들려왔다.

– 네? 아, 아까 딸아이의 목소리를 확인하고 수화기를 제대로 안 내려놓아서 그런 것 같네요. 방금 알아채서 제대로 놓았는데, 내려놓자마자 전화를 다시 주셨더라고요. 아마 그거 때문인 것 같네요. 관리실 전화기 상태가 안 좋아서요 하하하. 다른 문의 사항 있으시면 언제든 연락해 주세요.

"네, 수고하세요."

수화기 너머로 덜커덕거리는 소리가 몇 번 나고 나서야 통화가 종료되었다. 마침 수아도 화장실에서 나오며 시혁에게 조심스레 물었다.

"아빠, 나도 궁금한 게 있어. 씻으면서 생각한 건데."

"뭔데?"

"아빠 오늘 왜 일찍 퇴근했어? 한 번도 연락 안 하고 일찍 온 적 없잖아. 곰 인형까지 들고."

"아."

목덜미를 긁고 한숨을 쉬는 시혁. 입술을 삐죽 내밀다가 집어넣고 잠시 고민하다가 대답했다.

"회사에서 나오지 말래. 정확하게 말하면 출근하지 말

라고 할 회사가 없어져 버렸어."

"왜?"

"아빠도 자세한 건 모르겠어. 당분간은 우리 수아랑 같이 놀면서 일자리 알아봐야겠지?"

"그래서 인형 사 온 거야? 고미 남자 친구 생겼네."

"그러면 새로 온 곰 인형 친구 이름은 뭐로 지어줄 거야?"

수아는 눈을 감고 얼굴을 찌푸린 채 고민한다. 그러다 곧 눈을 뜨며 손뼉을 치며 자신만만하게 말했다.

"도리. 도리로 할 거야."

"그래? 왜 도리야?"

"모르겠어, 그냥 갑자기 떠올랐어."

수아는 시혁을 보며 씩 웃어 보였다. 그리고 일어나서 고미와 도리를 들고 방으로 들어갔다. 시혁은 냉장고 앞에 붙어 있는 쿠폰책을 가져와 소파에 누운 채 한 페이지씩 살펴보았다. 그러다 수아를 부르며 말했다.

"수아야, 오늘은 배달시켜서 먹자. 오늘은 아빠도 피곤해서 저녁 준비는 못 하겠다. 혹시 먹고 싶은 거 있어?"

"아니, 아빠 마음대로 시켜도 돼. 저번처럼 해물찜 같은 거만 안 시키면 괜찮아."

수아는 방바닥에 엎드린 채 고미와 도리를 그리느라 정신이 없어 보였다.

"에이, 그때는 해물찜 맛있다고 할 줄 알아서 시킨 거라니까. 그래도 아빠 딸인데. 알겠어. 오늘은 피자 먹자."

"아빠 일 안 나가면 싼 거 먹어야 하는 거 아니야? 나는 괜찮은데."

"피자 정도는 괜찮아. 우리 그 정도는 아니야. 시킨다. 지금 여기 포테이토 피자가 30% 할인하니까 이걸로 시킬게."

"오케이."

피자를 주문한 지 한 시간 뒤, 현관문 밖에서 엘리베이터 문 열리는 소리가 미세하게 들리고 나서 곧 누군가가 문을 두드렸다.

"네, 갑니다."

여전히 소파에 누워서 TV를 보던 시혁은 일어나 현관으로 향했다. 문을 열자 피자 배달부가 피자 박스와 1.5L 콜라 하나를 시혁에게 건네주었다. 수아도 막 거실에 나와 있던 참에 배달부와 눈이 마주쳤다. 배달부는 주머니에서 휴대전화를 꺼내 무언가를 확인하고 그대로 돌아섰다. 시혁은 피자를 들고 거실로 가려다가 바닥에 내려놓았다. 그러고는 다시 현관문을 열고 고개를 내밀어 배달부를 불렀다.

"저기요. 저 아직 계산 안 했어요."

계단으로 내려가려던 배달부는 깜짝 놀라며 황급히 휴대전화를 집어넣다가 바닥에 떨어뜨렸다. 배달부는 앞면이 바닥을 향해 떨어진 휴대전화를 줍고 바로 주머니에 넣었다. 그 후 허리춤에 있던 카드리더기를 꺼냈다. 시혁은 카드를 건네주며 걱정하듯 말했다.

"휴대전화 액정 깨진 거 아니에요? 확인해 봐야 하는 거 아니에요?"

"아, 아니에요. 괜, 괜찮아요."

뭔가 조급해 보이는 배달부는 카드와 영수증을 돌려주

고는 바로 계단으로 내려가 버렸다. 고개를 갸우뚱하며 거실로 돌아온 시혁은 주머니에 카드와 영수증을 대충 쑤셔 넣고 피자를 식탁에 펼쳤다. 그동안 수아는 싱크대 옆에 있는 컵 두 개를 꺼냈다. 시혁은 콜라를 붓다가 문득 수아에게 물었다.

"방금 배달부 아저씨 뭔가 좀 이상하지 않아?"

"배달 처음 하는 거 아니야? 처음 하면 실수하고 그러는 거지. 나도 처음에는 피클 국물 안 쏟으면서 열어본 적이 없는데 지금은 한 방울도 안 흘려."

피클을 맨손으로 집어 먹는 수아는 콜라가 담긴 컵을 받으며 말했다.

"그런 이상한 게 아닌 거 같은데."

"아빠 오늘 피곤해서 그렇게 보이는 거야. 피자 빨리 먹자. 식으면 치즈가 굳어서 맛없어진다고 아빠가 그랬잖아."

"알겠어. 한 조각씩 들고 피자로 건배하자."

시혁과 수아는 각자 앞에 있는 피자를 한 조각씩 들었다.

"자, 앞으로도 푹 잘 수 있는 밤이 되기를 기원하면서, 건배!"

"건배!"

피자를 서로 맞부딪히고 나서 시혁과 수아는 정신없이 피자를 먹었다. 시혁이 한 조각을 다 먹었을 때쯤, 수아가 눈치를 보며 말했다.

"나는 이제 안 자도 멀쩡하니까, 밤에 좀 더 놀다가 자면 안 돼?"

"안 돼."

"왜 안 돼?"

"일찍 자야 키가 크지. 성장 호르몬이 제일 많이 나오는 시간에 자고 있어야 키가 크는 거야. 언제까지 꼬맹이로 살 수는 없잖아."

시혁은 다음 피자 조각을 집어 들며 말했다.

"아빠는 어릴 때 일찍 잤어? 아빠도 큰 편은 아니잖아."

"그러니까 일찍 자라는 거지. 키 이야기하니까 생각났는데 키 크려면 콜라 말고 우유 마셔야 하는데, 우유 마실래?"

"1cm 포기하고 콜라 마실게."

수아는 옆에 있던 컵을 들고 콜라를 벌컥벌컥 마셨다.

"한 30 분씩만 더 늦게 자 그러면. 더는 안 돼. 알겠지?"

탄산 때문에 얼굴을 찡그리는 수아는 고개를 숙인 채 대답 대신 엄지를 들어 보였다. 수아는 엄지를 내려놓고 다시 한번 시혁에게 물었다.

"그리고 하나 더 물어보고 싶은 게 있어, 아빠는 헌혈해 본 적 있어?"

"헌혈? 군대에서 몇 번 해보고 그다음에는 해본 적이 없는 거 같네. 왜? 수아는 아직 어려서 헌혈은 못할 텐데."

"응, 그렇지. 혹시 아빠는 왜 군대에서 헌혈한 거야?"

"군대에서 헌혈하면 맛있는 거도 먹고, 많이 하면 휴가도 주고 그랬거든."

"그럼, 왜 그다음에는 안 한 거야?"

"헌혈하면 그날은 좀 피곤하고 무리하면 안 되거든. 몸에 이상이 없다고 해도 일단은 갑자기 빠진 피를 보충해야 하니까. 그리고 군대에서만큼 뭔가 좋은 걸 안 해줘서 그런 것 같기도 하네. 영화 상품권 같은 걸 주기는 하는데 그래도 휴가만큼 좋은 건 없었거든.”

“헌혈하면 몹시 아프고 피가 부족한 사람들한테 내 피를 나눠주는 거잖아. 아빠 말대로면 몸에 그렇게 나쁜 것도 아닌데, 그것만으로도 충분하지 않을까?”

“우리 수아 정말 너무 착하다. 다음에 한번 수아 데리고 헌혈의 집 가야겠는걸? 그런데 혹시 왜 궁금해하는지 물어봐도 되니?”

드디어 피자 한 조각을 다 먹은 수아는 다음 조각을 집어 들며 말했다.

“TV에서 본 게 자꾸 생각나서 물어봤어. 바이러스 연구하는 아저씨 나오는 광고 알지? 나 같은 사람들이 필요하다고 그러잖아. 혹시 내가 치료제 개발하는 데 도움이 되지 않을까?”

사레들린 듯 갑자기 기침하는 시혁은 급하게 컵에 있던 콜라를 전부 마셨다. 그 후 아무 말 없이 손가락만 연거푸 튕기던 시혁은 대답을 재촉하지 않고 두 번째 피자 조각을 해치우는 수아를 지긋이 바라보다가 말했다.

“아빠가 안 된다고 하면 뭐라고 할 거니?”

수아가 피자를 다 먹자, 손가락 튕기기를 멈추고 시혁이 말을 꺼냈다.

“왜 안 되냐고 물어보지 않을까?”

“음...... 조금만 더 생각해 볼게, 일단 남은 피자는 치우고 이야기하자.”

"알겠어."

시혁은 남은 피자 두 조각을 비닐봉지에 싸서 냉동실에 넣었다. 부엌에서는 컵 씻는 소리, 피자 박스 접는 소리, 식탁 닦는 소리 외에는 어떠한 소리도 나지 않았다. 말없이 소파에 앉는 시혁과 수아. 마침내 시혁이 마음을 정리한 듯했다.

"아까 아빠가 왜 안 된다고 했을지 알겠니?"

"걱정되어서 아니야?"

"근본적으로는 그렇지. 아빠도 정확히 연구소에서 어떤 걸 하는지는 모르지만, 수아가 얘기했던 헌혈보다는 훨씬 위험할 거 같다는 건 알아."

"나는 괜찮은데. 그 정도는 이미 각오했어. 그리고 아빠가 옆에 있어 줄 거잖아."

수아는 시혁의 손을 붙잡았다. 시혁도 수아가 잡은 손을 꼭 잡아준다.

"그리고 지금 여기는 그나마 안전한 편이지만, 서울까지 가는 건 너무 큰 모험이야. 대중교통은 끊긴 지 오래됐으니 자동차로 가야 하는데, 잠을 못 잔 발현자들이 도로에 섞여 있어서 사고 나기가 너무 쉬워. 그리고 서울은 바이러스 확산 초반에 너무 많은 사람이 잠을 못 자다가 발현자가 되어버려서 통제가 잘 안 된다고 들었거든. 연구소까지 도착하는 것 자체가 힘들 수도 있어."

"연구소에 전화해 보면 안 돼? 뭔가 도움을 주지 않을까? 아니면 경찰이라던가."

"둘 다 큰 도움은 안 될 거야. 이미 서울에 안전하게 가고 싶은 수많은 사람이 너도나도 자신은 면역자라고 하면서 연락을 엄청나게 했을걸?"

수아는 손을 놓고는 시혁의 앞에 서서 눈을 똑바로 바라보았다. 그러자 시혁은 순간적으로 수아의 시선을 피했다. 수아는 단호하게 말했다.

"아빠, 아빠가 거짓말은 하지 말라고 했잖아. 내가 볼 땐 지금 아빠가 거짓말을 하는 거 같아."

"아니야. 거짓말은 안 했어. 조금 부풀려서 말한 건 맞지만, 완전히 거짓말은 아니야. 위험한 건 맞아."

"아빠는 나뭇가지가 넘어질 걱정만 하고 있구나."

수아는 다시 소파에 털썩 앉았다. 시혁은 의아해하며 물었다.

"응? 무슨 나뭇가지?"

"그 왜 얼마 전에 모래성에 나뭇가지 꽂아서 쓰러뜨리는, 아니 쓰러뜨리면 안 되는 게임 말이야. 나뭇가지가 쓰러지지 않도록 모래를 아주 조금씩만 덜어내야 한다고 했잖아."

"아, 그거? 그랬지. 아빠 생각엔 무턱대고 연구소에 찾아가는 건 양손으로 모래를 퍼내는 거와 다를 바가 없어. 수아는 바이러스에 한해서는 무적이니까 나뭇가지가 땅에 접착제로 붙어 있는 셈이야. 나뭇가지를 힘줘서 뽑지만 않으면 되는 거지."

"하지만, 아빠는 아니잖아. 전 세계 다른 사람들도 그렇고. 나는 모래성을 다시 만들어 주는 사람이 되고 싶어. 그러면 나뭇가지는 무너지지 않을 텐데."

시혁은 수아의 머리를 쓰다듬어주며 말했다.

"그래, 우리 수아가 하고 싶은 말은 알겠어. 정 그렇다면 만반의 준비를 해서 가자. 마음의 준비든지 물질적인 준비든지 말이야. 대신 확실하게 준비가 다 되면 가자. 알 겠지?"

"응, 알겠어, 아빠. 고마워."

시혁은 소파 등받이에 몸을 뒤로 젖혀 등을 털썩 기댔 다. 수아는 자연스럽게 아빠의 다리를 베고 누웠다. 그대 로 둘은 같이 TV 속으로 빠져들기 시작했다.

15

같은 시각 도시에서 약간 벗어난 곳에 있는 자동차 폐 차장. 이곳은 수아와 시혁이 피자를 먹고 TV 를 보며 부 녀간의 단란한 시간을 보내고 있는 거실과는 전혀 다른 세상이었다. 흙먼지가 날리는 넓은 폐차장 부지에는 수명 이 다 되어 주인에게 버려진 자동차 수천 대가 층층이 세 겹으로 쌓여 자기의 삶이 끝나기만을 기다리고 있는 듯했 다. 납작해진 차들 사이에 있는 회색 컨테이너 3 개 중 가 장 큰 컨테이너에서 고통에 겨운 앓는 소리가 새어 나오 고 있었다.

컨테이너 내부에는 양팔과 양다리가 침대에 묶여 있는 채 누워 있는 30 대 정도 되어 보이는 남성과, 젊은 남성 을 관찰 중인 나이가 조금 더 들어 보이는 다른 남성이 있었다. 한 치의 흐트러짐 없이 서 있던 남성의 왼쪽 뺨 에는 칼에 맞아서 생긴 듯한 흉터가 선명하게 나 있었다.

"똑똑."

컨테이너 벽을 두드리며 동시에 입으로도 문을 두들기는 소리를 내면서 안으로 들어온 장발의 여성은 두 남성보다는 확실히 어려 보였다. 검은 정장 안에 검은 셔츠, 검은 넥타이까지 모두 검은색으로 맞춰 입은 여성이 컨테이너로 들어오자 깍듯하게 고개를 숙여 인사하는 흉터를 가진 남성. 여성은 살짝 고개를 까딱이며 인사를 받고는 흉터를 가진 남성에게 물었다.

"이번에도 꽝이에요?"

"네, 어제 안 재우고 오늘 수면제 먹었는데도 못 자는 것 같습니다."

"벌써 두 달째 수확이 없네. 다 씨가 말라 버렸나?"

여성은 침대 옆에 있는 의자에 앉아 침대에 묶여있는 남성을 한심한 눈빛으로 쳐다보았다. 남성이 거칠게 욕지거리를 해대자, 여성은 가차 없이 손날로 목을 내리쳤다. 그러고는 괴로워하며 기침하는 남성을 보며 나긋나긋하게 말했다.

"안녕하세요, 전 혜리라고 하고, 여기 폐차장 운영하고 있습니다. 안타깝지만 당신은 저희가 찾는 사람은 아닌가 보네요. 저처럼 바이러스에 면역인 사람만 와달라고 했을 텐데요. 혁수 아저씨, 평소처럼 3일 정도 더 뒀다가 말도 제대로 못 할 정도 되면 빈 건물 같은 곳에 던져놔요."

"네, 알겠습니다."

혜리는 아직 기침하는 남성의 입에 자신의 주머니에서 꺼낸 가죽 장갑 하나를 밀어 넣고 자리에서 일어났다. 남성은 소리를 지르려 하지만 장갑에 가로막혀 읍읍거리는 소리밖에 낼 수 없었다. 혁수는 혜리에게 자신의 휴대전화를 보여주며 귓속말로 속삭였다. 화면에는 시혁이 아파트 관리실에 보냈던 수아의 사진이 나와 있었다. 혜리가 혁수를 올려다보며 물었다.

"그러니까, 이 애가 면역이 있다 그 말인가요? 이번엔 확실해야 할 텐데요."

혜리는 혁수가 들고 있는 휴대전화 화면을 검지와 중지로 밀어 수아의 사진을 확대해 보았다.

"제보를 받고 미리 이 아이가 사는 곳을 파악해 둔 상태입니다. 제보에 따르면 아이 쪽이 면역이 있다는 걸 아이 스스로 확인을 했다고 합니다. 예림포레스트빌하모니 102동 804호에 거주하고 있고, 지금은 아빠와 딸 단둘이 사는 것 같습니다. 문 근처에 감지 센서도 미리 붙여두었습니다."

"지지난번 면역자 납치했을 때처럼 그걸 해볼까요? 그때도 어린아이가 면역자였는데. 아파트라서 조금 위험부담은 있지만, 층수가 그리 높지 않으니까 괜찮을 거예요. 이번엔 뭔가 감이 와요. 내가 직접 주도할 거니까 혹시 방해되는 게 있으면 막아주세요."

"네, 알겠습니다. 언제 진행하시겠습니까?"

"내일, 고요의 밤이 시작하면 바로 시작해요. 근처에 몸을 숨길만 한 곳을 오늘 찾아보죠. 갔다 와서 연습도 좀 해봐야겠네요. 오랜만에 조종해 보는 거라서."

혜리와 혁수는 컨테이너 밖으로 나와 폐차장을 거닐기 시작했다. 주머니에 손을 넣은 채 걷는 혜리를 뒤따르던 혁수는 혜리에게 물었다.

"혹시 모르니 미행을 붙여두는 것이 좋을 것 같습니다.

내일 헛걸음질을 할 수도 있으니 말입니다."

"그렇게 하세요. 그러면 내일 그 둘이 만약 집 밖으로 나가면 몰래 일거수일투족을 감시해서 특이 사항 있는지 저희 둘에게 문자로 보고하도록 하세요."

"예, 그렇게 하겠습니다. 저는 이제 슬슬 자야 할 시간이 다 되어서 먼저 들어가 보도록 하겠습니다."

"밤하늘 별도 좋은데, 조금 더 있다가요."

혜리의 말에 당황한 듯한 혁수. 그 모습을 본 혜리는 웃음을 터뜨렸다.

"그냥 해본 소리예요. 일찍 가서 자요. 나는 이 고요를 조금 더 즐기다 자러 갈 거니까."

16

다음 날, 시혁과 수아는 아침 일찍 마트에 나와 장을 보고 있었다. 쇼핑카트를 끌고 다니는 시혁과 이리저리 돌아다니며 물건을 구경하는 수아. 마트 진열장은 대부분 비어있지만, 그래도 아직 남은 물건 중에서 필요한 것들은 어느 정도 건질 수 있을 정도였다.

"가는 데 그렇게 오래 걸릴 것 같지는 않지만, 그래도 혹시나 모르니까 한 며칠 정도는 버틸 만한 양은 되어야 겠지? 나온 김에 집에 비축할 것도 같이 사놓자."

시혁은 500mL 생수병 30개 묶음을 들어보려다가 포기하는 수아 대신 생수병을 쇼핑카트에 담으며 말했다. 수아는 생수병을 들다 빨개진 손바닥을 호호 불며 시혁에게 물었다.

"다음엔 뭐 살 거야? 과자?"

"과자도 나쁘지 않은 선택이지. 집에서 먹을 것도 사고, 에너지바랑 견과류 같은 걸 사는 게 좋아. 그리고 혹시 전투식량도 남아있으면 사 가자. 전에 구청에서 받았던 건 차에 싣고, 이번에 살 전투식량은 집에 보관해 둬야지."

"그거 별로 맛없는데."

"최대한 먹을 만하게 만들긴 했지만 그래도 맛보다는 영양분이랑 보관이 우선이라 어쩔 수 없나 봐. 아빠는 군대에서 보급병이어서 유통기한이 다 된 전투식량 엄청나게 많이 먹었는데 그때보다 지금이 더 맛없는 거 같긴 해."

시혁과 수아는 꽤 오랜 시간을 돌아다니며 음식 위주로 쇼핑카트를 채워나갔다. 조금 지쳐 보이는 수아는 시혁의 바짓가랑이를 붙잡고 물었다.

"먹을 거 말고 다른 건 안 사도 돼?"

"의료 상자랑 보조배터리만 사면 될 거 같아. 다른 건 집에서 챙기면 되니까 괜찮을 거야. 저기 하나 남았네. 가져와 줄래?"

수아는 빠른 걸음으로 구석에 있던 의료 상자를 가지러 갔다. 그때 맞은 편에서 달랑 감자칩 하나만 담긴 카트를 끌고 오는 어떤 남성이 시혁의 앞에 멈춰 섰다. 그 남성은 아무 말 없이 시혁이 담은 물건들을 빤히 쳐다보고 있었다.

"선생님, 무슨 문제라도 있나요?"

시혁이 먼저 물었다. 그러자 남성은 고개를 절레절레

지으며 대답했다.

"아니에요, 어디 멀리 캠핑이라도 가시나 봐요?"

"지금 캠핑 갈 수 있는 곳이 어디 있나요? 그냥 집에서 지내야죠. 집에 쌓아두려고 사는 거예요."

수아가 하얀색 의료 상자를 들고 와 쇼핑카트에 넣었다. 그리고 아빠 옆에 있던 낯선 사람은 무시하고 아빠에게 해맑게 웃으며 말했다.

"아빠, 오늘 이거 다 사면 서울 언제 갈 거야? 내일? 모레?"

시혁은 어색한 웃음을 지으며 수아에게 말했다.

"글쎄, 집에 가서 이야기하자. 당장 오늘 내일은 힘들지 않을까?"

"왜, 준비만 되면 갈 수 있다며. 아직 마음의 준비가 안 된 거야? 내가 어떻게 해야 마음의 준비가 될 거야?"

수아와 시혁이 대화가 길어지자, 시혁과 대화를 나누던 남성은 고개를 살짝 숙여 시혁에게 인사를 하고, 손을 아래로 흔들어 수아에게도 인사를 하며 반대편으로 걸어갔다. 그리고 코너를 돌자마자 휴대전화를 주머니에서 꺼낸 뒤 다음과 같이 문자를 보냈다.

'목표물 둘은 오늘은 집에서 지낼 것으로 보이며, 며칠 내로 서울로 갈 예정인 듯함. 아빠는 꺼리지만 딸이 서울에 가고 싶어 하는 듯함. 추가 특이 사항 생기면 다시 연락하겠음.'

곧 답변이 왔다.

'Roger'

잠시 후 시혁은 방금까지 샀던 물품들이 담긴 박스를

차 트렁크에 차근차근 실었다. 수아는 자동차 뒷좌석에서 팔짱을 낀 채 약간 뾰로통한 표정을 짓고 있었다. 운전석에 앉아 룸미러로 수아를 확인하는 시혁은 마트를 나서면서 수아에게 넌지시 말했다.

"하루라도 빨리 가고 싶은 건 알겠지만, 기다리는 것도 준비의 일환이야. 너무 조급하게 구는 것도 준비가 덜 됐다는 뜻이야. 우리는 지금 피구를 하는 게 아니야. 당장 눈앞에 공이 날아와서 피해야 하는 그런 상황이 아니라면, 침착하게 행동해야 일을 그르칠 확률이 낮아. 이거 먹으면서 그만 화 풀어."

시혁은 바지 주머니에서 딸기 맛 막대사탕을 꺼내 수아에게 건넸다. 수아가 매고 있는 안전띠 때문에 수아의 손까지 사탕이 닿지 않자, 시혁은 뒷좌석으로 손가락을 튕겨 사탕을 수아 옆으로 던졌다. 사탕 껍데기를 힘겹게 뜯어서 겨우 세상 밖으로 나온 사탕을 입에 넣고 이리저리 굴리던 수아는 팔짱을 끼고 눈을 지그시 감은 채 무언가 골똘히 생각하는 듯했다.

마트를 나선 지 얼마 지나지 않아 시혁은 앞에서 트럭이 코너를 돌아오는 것을 발견했다. 트럭은 중앙선을 넘어서 시혁의 차선으로 역주행하고 있어 시혁의 차와 거의 충돌할 것만 같았다. 시혁은 놀라서 소리를 지르며 핸들을 오른쪽으로 꺾었다. 시혁의 차는 트럭의 왼쪽 범퍼에 거의 스치듯 지나가며 가까스로 트럭을 피했다. 옆 차선에는 차가 없었던 것이 다행이었다. 바로 뒤에도 차가 멀리 떨어져 있어서 앞에서 달려온 트럭을 피한 것으로 사고는 피할 수 있었다. 손바닥에 땀이 흥건하게 젖은 시혁은 거친 숨을 몰아쉬며 겨우 호흡을 가다듬었다. 그리고 길가에 잠시 차를 세우고 뒤를 돌아보며 말했다.

"괜찮아? 안전띠 잘 매고 있었지? 다친 데는 없고?"

마찬가지로 갑작스러운 상황에 놀란 수아는 기침을 연거푸 하며 눈을 똥그랗게 뜬 채 물고 있던 막대사탕을 손에 뱉었다. 앙증맞은 손에 올려져 있는 사탕은 미세하게 떨리고 있었다. 기침이 좀 멎고 나서야 수아가 대답했다.

"괜, 괜찮아. 갑자기 왜 그랬어?"

"트럭이 중앙선을 넘어와서 우리 쪽으로 역주행해서 그랬어. 옆에 차가 없어서 다행히 사고는 피했네. 아마 방금 트럭 운전자도 그것인 거 같아."

시혁은 눈을 최대한 위로 치켜뜨면서 넋 나간 듯한 표정을 한 표정을 지어 보이고 다시 말을 이어 나갔다.

"아빠 생각에는 고속도로 나가면 저런 차가 엄청나게 많을 건데, 최대한 천천히 방어운전 하면서 가야 할 것 같네. 진정했으면 다시 갈게."

고개를 끄덕거리는 수아를 보고 다시 도로로 나서는 시혁. 차가 도착한 곳은 공원임을 확인한 수아가 시혁에게 물었다.

"집에 가는 거 아니었어?"

"이대로 그냥 집에 가면 진정이 안 될 것 같아서 바람 좀 쐬다가 들어가려고. 괜찮지?"

"좋아."

둘은 나란히 손을 잡고 말없이 산책로를 걷는다. 얼마 전 걸었던 같은 공원이었지만, 오늘은 지나치게 조용했다. 곧 얼마 전 수아가 미끄럼틀을 신이 나게 탔던 곳에 도착했다. 수아와 시혁은 벤치에 나란히 앉아 잠시 쉬도록 했다.

"오늘은 아무도 없네. 평소보다 너무 조용하지 않아?"

시혁의 말에 아직 약간 풀린 듯한 눈으로 주위를 둘러보는 수아. 수아의 시선에도 공원이 외로움을 탈 정도로 오늘은 사람이 아무도 없었다. 수아가 말했다.

"그러게. 다들 어디 갔을까? 산책하는 사람도 없고, 늘 있던 할아버지들도 오늘은 없네. 경찰 아저씨도 없고. 우리만 남은 걸까?"

"다들 집에 있나 봐. 날도 덥고 하니까. 수아 너도 더우면 음료수라도 한 캔 마실래?"

"아니야. 아빠 마시고 싶으면 마셔."

"오늘은 미끄럼틀 안 타도 돼?"

"안 탈래. 이제 미끄럼틀도 뜨거워져서 손으로 잡기도 힘들 거야. 아빠, 아빠가 조금 전에 트럭을 피한 건 침착해서 그런 걸까, 아니면 다른 생각하지 않고 재빠르게 움직여서 그런 걸까?"

잠시 생각을 하는 시혁. 검지로 벤치 위를 무의식적으로 두들기다가 멈추고 말했다.

"아까 차 안에서는 피구 얘기를 했었는데, 다시 생각해 보니 피구도, 운전 중에 달려드는 트럭을 피하는 것도 전부 매한가지인 거 같아. 순발력이 필요한 일도 깊이 생각해 보면 침착하게 준비가 되어 있어야 더 잘할 수 있어."

"그런가?"

"응. 나에게 날아오는 공을 그냥 본능에 따라 피하는 것보다는 상대방이 어떤 식으로 공을 던지면 내가 어떤 식으로 피해야 할지 미리 생각하고 피하는 게 더 쉬울 거야. 운전도 요즘 같은 시대에는 최대한 주변을 살펴보면서 차분하게 대비해야 급박한 상황이 닥쳐도 판단을 빠르게 내릴 수 있지.”

잠시 경청하던 수아는 벤치에서 폴짝 뛰어내렸다. 그리고 시혁의 손을 잡아끌며 말했다.

“이제 집에 가자. 집에 가서 에어컨 틀고 시원하게 있고 싶어졌어.”

수아에게 억지로 끌려가는 듯 장단을 맞춰주는 시혁. 수아와 시혁이 자동차를 타고 공원을 나서자, 저 멀리 선글라스를 낀 채 나무 뒤에 숨어있던 남성이 모습을 드러냈다. 마트에서부터 이들을 감시하던 남성은 다시 휴대전화를 켜 지도를 띄웠다. 지도에는 빨간 점 하나가 공원을 방금 막 빠져나가고 있었다.

17

시혁과 수아가 사는 예림포레스트빌하모니 102동 앞에 주차된 검정 SUV. 색도 약간 바랬고, 다른 부분도 전반적으로 크게 상태가 좋아 보이지는 않았다. 먼저 차에서 내리는 혜리는 망원경을 들고 아파트를 살펴보고 있다. 뒤이어 내리는 혁수의 손에는 디스플레이가 달린 조종기가 있었다. 혜리가 망원경을 내려놓고 혁수에게 말했다.

“역시 이번 건은 느낌이 좋네요. 아파트 외벽 색이랑 장비랑 색이 비슷해서 따로 색칠할 필요는 없겠어요. 창문 옆에 공간도 넉넉하고 아파트 출입구에서 외부 차 차단도 제대로 안 해서 바로 빠질 수도 있겠고요."

"저 혼자 해도 괜찮은데 컨테이너에서 기다리시는 게 낫지 않겠습니까?"

"에이, 내 장비는 내가 제일 잘 알아요. 그리고 수틀리면 운전하는 사람 따로 조종하는 사람 따로 있어야 성공 확률이 높죠. 그리고 이 차는 오늘 작업하고 꼬리 안 밟히게 프레스에 넣어버릴 건데 괜찮죠?"

"네, 오늘은 꼭 성공하면 좋겠습니다."

"이제 슬슬 해가 질 거니까 아저씨는 차 안에서 자세요. 내가 시작하기 30분 전에 깨울 테니까. 나는 오늘 카페인 빨로 안 자고 버틸 거라 괜찮아요. 카페에서 시간 좀 때울 거니까 혹시 급한 일 있으면 연락하세요."

다시 차로 들어가는 혁수와 자리를 뜨는 혜리. 혜리는 아파트와 조금 떨어진 사람이 거의 없는 카페에 도착하자마자 계산대로 다가가 주문했다.

"아이스 아메리카노 한 잔 주세요. 디카페인 말고 일반 아메리카노로 주세요."

카운터 포스기를 보고 있던 남자 아르바이트생은 혜리를 한 번 힐끗 보고 다시 포스기로 시선을 돌리며 말했다.

"저희 카페는 일몰 이후에는 디카페인만 판매할 수 있습니다, 손님."

"에이, 아직 해 안 졌는데. 일몰 안내방송 들었어요? 나는 못 들었는데. 그리고 저 카페인 마시면 바로 뻗는 체질이에요. 정말 안 돼요?"

알바생에게 냅다 윙크하고는 웃으며 애교를 살짝 부려

보는 혜리. 아르바이트생은 한숨을 내쉬면서 말했다.

"다시 보니 아직 해가 보이는 거 같네요. 아메리카노 아이스 하나 일반으로 주문받았습니다. 6천 원입니다."

혜리는 현금으로 만 원을 내밀었다. 잠시 후 아메리카노를 들고 카페 구석 자리를 차지하려는 혜리는 바지 주머니에 있던 휴대전화의 진동 소리를 듣고 꺼내서 확인했다. 발신번호 표시제한으로 온 전화를 혜리는 망설임 없이 바로 받았다.

"예, 장씨폐차장입니다."

– 고생이 많습니다. 백상아리입니다. 10일 안에 하나. 30억. 가능합니까? 요즘 통 소식이 없어서 연락했습니다.

"50억. 좀 어려도 괜찮지? 대신 S급으로 데려갈 수 있어."

주변 눈치를 보고 목소리를 줄여 대답하는 혜리. 전화기 반대편에서는 잔뜩 기대하는 목소리로 답변했다.

– 오, S급이라. 기다리고 있겠습니다. 수고하세요.

혜리는 전화를 끊고 남은 커피를 빨대로 한 호흡에 마시고는, 수아의 사진을 다시 한번 쳐다봤다. 그 후 카페에서 나오는 클래식 음악을 들으며 테이블에 엎드린 채 휴대전화로 퍼즐게임을 하며 시간을 보냈다. 카페 스피커에서 영업시간이 끝났다는 이야기가 흘러나오자, 혜리는 카페에서 나와 타고 왔던 검정 SUV로 다시 돌아갔다.

차 안에서 자고 있던 혁수는 혜리가 차 트렁크를 여는 소리에 잠에서 깼다. 혜리는 트렁크에 있는 파란 박스를 열려다가 잠에서 깬 뒤를 돌아보는 혁수와 눈이 마주치자, 혁수에게 말했다.

"저 왔어요. 백상아리가 10일 안에 한 명 데리고 올 수 있느냐고 전화 왔길래 된다고 해버렸어요. 나중에 저희끼리 고생하기는 싫으니 이번 건은 반드시 성공하면 좋겠네요."

"몇 개 쓰실 겁니까?"

"10시 반부터 2시 반까지 4시간 동안은 못 자게 할 거니까 8개면 충분하죠. 얼마나 일찍 잤던지는 상관없이 그동안 못 자면 일반인은 끝장이고, 그땐 어떤 외부 인력도 방해 못 할 거니까요. 이제 슬슬 작동시켜야겠네요. 주변에 사람도 없고."

혜리가 끙끙거리며 힘겹게 트렁크에서 꺼낸 건 가로세로가 40cm 정도 되는 정사각형 몸체 아래 바퀴가 4개 달린 로봇이었다. 몸체 윗부분에는 다시 조금 더 작은 정사각형 몸체가 얹혀 있었고, 그 윗부분에는 카메라가 달걀노른자처럼 반구 모양 플라스틱 안에 자리 잡고 있었다.

혜리는 로봇을 조심스레 내려놓고 휴대전화 플래시 조명으로 한 번 더 이리저리 비춰보았다. 혁수는 들고 있던 조종기의 전원을 켜 디스플레이가 잘 보이는지 확인했다. 혜리가 조종기 디스플레이를 뚫어져라 쳐다보던 혁수에게 부탁하듯 말했다.

"잘 작동하네요. 조종기 주세요. 이제 곧 시작할 거니까."

혁수에게서 조종기를 건네받은 혜리는 양 엄지는 스틱에, 검지는 조종기 앞쪽 버튼 위에 올렸다. 그리고 로봇을 바라보며 온 신경을 곤두세웠다.

혜리가 조종을 시작하자 바닥에 놓인 로봇은 곧장 아파트 벽까지 달려갔다. 혜리가 버튼을 누르며 스틱을 앞으로 밀자, 로봇의 앞부분이 살짝 들리더니 곧 90도로 벽면을 타오르기 시작했다. 혜리가 고개를 까딱거리며 아래층부터 층수를 세기 시작했다. 그러다 어느 지점에 수직으로 벽을 오르는 로봇을 세워두고 옆에 있는 혁수에게 물었다.

"여기 맞아요? 804호?"

"네, 맞습니다. 저기 조금 더 왼쪽으로 붙여야 할 것 같습니다. 유리창 옆에 바로 딱 붙여야 침입하기 편할 겁니다."

혁수는 망원경으로 로봇을 지켜보고 있었다.

"아이, 나도 알아요. 지금 안에 있는 사람들은 전부 자고 있겠죠? 소리는 따로 안 들리는 것 같은데 커튼 때문에 보이지 않네요."

"새어 나오는 빛도 없고, 현관문에서도 아무 소리도 나지 않는다고 확인했습니다. 지금도 잠을 자지 않으면 면역자일 겁니다."

"자 이제 시작해 볼까."

혁수를 힐끗 한 번 쳐다보고는 조종기에 있는 여러 버튼 중 하나를 누르자 로봇 상단부에서 기다란 호스가 나오기 시작했다. 혜리는 조종기 레버를 세밀하게 움직여 호스의 끝이 유리창 오른쪽 아래를 향하게 했고, 곧 끈적한 노란색 액체가 호스를 타고 뿜어져 나오는 걸 확인했다. 정체불명의 액체는 유리창의 꽤 넓은 면적을 덮으며 흘러내렸다. 호스는 제 역할을 다한 듯 다시 로봇 안으로 들어갔다.

"이 정도면 충분하겠지."

혜리가 또 다른 버튼을 누르자 로봇 상단부의 30cm 정도 되는 정사각형 몸체가 분리되어 유리창으로 천천히 이동했다. 유리창과 맞닿은 면인 하단부에는 파란 불빛이 나오고 있었고, 파란 불빛에 닿은 액체는 색이 살짝 변하다가 그대로 굳어버렸다. 곧 로봇 상단부는 굳어버린 액체 위에 안착했다.

'위이이이이잉'

로봇 안에서 드릴 돌아가는 소리가 나더니 유리창에는 곧 지름 15cm 정도 되는 구멍이 뚫렸다. 로봇 상단부는 골프공 정도 크기의 구체 8 개를 하나씩 구멍 안으로 밀어 넣고 다시 하단부와 합체했다. 탁란하는 뻐꾸기처럼 버려진 구체들은 바닥을 타고 흩어지기 시작했다.

늘 그렇듯 고양이 수면안대를 차고 거실 소파에서 잠을 자던 시혁은 갑자기 들리는 드릴 소리, 그리고 베란다 창가에서 나는 쿵 소리에 잠에서 깼다. 아직 비몽사몽인 채로 거실 불도 켜지 않고 베란다 문을 열고 창가로 향하는 시혁은 갑자기 튀어나온 흐릿한 형체 여럿을 보고 놀라 뒷걸음쳤다. 물체들은 시혁의 시야를 벗어나 곧 이리저리 구석으로 숨어버렸다.

"뭐야, 내가 잘못 본 건가?"

커튼을 열어보는 시혁은 아래에 뚫려있는 동그란 구멍을 발견했다. 갑자기 유리창에 나타난 동그란 구멍, 그것도 새가 들이박았거나 물건이 날아와서 유리가 깨진 모습이 아닌 주변에 조금의 금이 간 부위도 없이 깔끔하게 절단한 듯한 원형의 구멍이 나 있었다. 유리창 앞에 쪼그려 앉아 구멍을 자세히 쳐다보던 시혁은 자기 왼뺨을 손으로 3번 때렸다. 그래도 구멍은 변함없이 계속 그 자리에 있었다.

상황 파악이 전혀 안 되어 보이는 시혁은 스마트 워치를 두들겨 시간을 확인했다. 밤 10시 20분. 그리고 화면을 몇 번 넘기자, 다음과 같이 적혀있었다.

'*수면 시간을 충족하지 못하였습니다. 12시 20분까지는 다시 잠드셔야 합니다.*'

"하아."

한숨을 푹 쉬고 주위를 둘러보는 시혁. 일단 창문에 난 구멍은 이미 지난 달력 페이지를 2장 뜯은 후 덮고 테이프로 고정해 대충 메웠다. 다른 건 나중에 처리하기로 하고 다시 소파에 눕는 시혁은 고양이 수면안대를 차고 다시금 잠을 청했다.

'꺄아아악. 쿵 쿵 쿵 쿵.'

그때 소파 아래에서 여자가 소리를 지르는 듯한 소리와 철판을 두드리는 소리가 번갈아 가며 온 집안이 떨릴 정도로 시끄럽게 들렸다. 깜짝 놀라 귀를 양손으로 막고 소파에서 튕겨 나오듯 일어나는 시혁과, 마찬가지로 베개로 귀를 막으면서 거실로 걸어 나오는 수아는 서로 표정을 찡그린 채 소리 지르며 말했다.

"아빠, 이 밤에 무슨 소리야? 안 자?"

'꺄아아악. 쿵 쿵 쿵 쿵.'

정체를 알 수 없는 소음은 계속해서 들려왔다.

"방금 누군가가 고의로 창문을 깨고 무언가를 집어넣은

거 같아. 아이고 시끄러워. 일단 저거부터 어떻게 하고 이야기하자."

시혁은 거실 LED 등을 켰다. 그리고 옷장에서 꺼낸 삼단봉을 펼쳐 소파 아래에서 넣고 이리저리 휘저으며 수아에게 말했다.

"뭔가 걸리는 거 같은데 도망가는 거 같네. 뭐지? 수아야 현관 서랍에서 손전등 좀 가지고 와봐."

"뭐라고?"

수아는 여전히 베개로 귀를 막고 있었다. 시혁은 수아를 쳐다보며 아까보다 더 큰 소리로 말했다.

"손, 전, 등. 현관에 있을 거야."

시혁의 말을 알아들은 듯한 수아는 베개로 귀를 막은 채 고개를 끄덕이고 현관으로 달려가 손전등을 찾아왔다. 수아도 시혁의 옆에 누워 손전등으로 소파 아래를 비추었다. 군데군데 쌓인 먼지, 100 원짜리 동전, 초록색 크레파스, 회색 양말 한 짝, 사탕 비닐 사이에 누가 봐도 수상한 골프공 크기의 검은색 구체가 있었다.

검은색 구체를 삼단봉으로 겨우 밖으로 꺼냈지만, 그 어디에도 시끄러운 구체의 입을 다물게 하는 버튼은 없었다. 소파 밖으로 나오자, 소리를 더 크게 내는 것만 같은 기분마저 들었다. 시혁이 이리저리 쳐다보며 헤매는 걸 지켜보던 수아는 구체를 뺏어 들고 화장실에 들고 가 욕조 안에 넣고는 샤워기로 물을 마구잡이로 쏴댔다. 그러자 구체에서 나는 소음이 점차 잦아들더니 드디어 화장실이 조용해졌다. 시혁은 아직 귀가 먹먹한 느낌이 드는지 귓구멍 옆에 볼록 튀어나와 있는 이주 부위를 중지로 눌러대며 수아에게 물었다.

"어떻게 물에 집어넣을 생각을 했어?"

"기계니까 일단 물에 넣으면 어떻게든 될 거 같았어. 그런데 저게 뭘까?"

시혁은 수아를 거실 베란다로 데리고 갔다. 그리고 커튼을 걷고 유리창에 난 구멍을 방금 덮어뒀던 달력 종이를 보여줬다.

"누가 여기 창문에 구멍을 내고 저걸 집어넣었어. 어두워서 제대로 못 봤는데 저런 게 한두 개가 아니었던 거 같아. 또 소리를 내고 잠을 못 자게 하기 전에 다 찾아야 할 텐데."

18

그 시각 밖에서 804 호 창문을 망원경으로 바라보고 있던 혁수는 거실 등이 켜진 것을 확인했다. 혜리는 본체 로봇을 다시 아파트 1 층까지 안착시키고, SUV 가 있는 곳까지 오도록 조종하고 있었다. 혁수는 망원경을 내리고 혜리에게 물었다.

"일단 절반은 성공한 것 같습니다. 혹시 밖으로 나올 수도 있으니 아파트 단지 출구에도 인원 배치해 뒀습니다."

"음. 만약을 대비하는 게 좋겠죠. 집 밖으로 나가는 것도 나쁘지 않은 선택일 수도 있지만, 제가 저 상황이라면 집 밖으로 안 나가고 안에서 버틸 거 같네요."

"집 안은 난장판이 되어버릴 텐데 도망 나와서 다른 안전한 곳으로 피신하는 게 좋지 않겠습니까?"

혜리는 쪼그려 앉아 로봇을 휴대전화 플래시로 비춰보며 한동안 이리저리 살펴보다가 혁수를 곁눈질로 한 번 쳐다보았다. 혁수는 혜리를 돕기 위해 옆에 같이 쪼그려 앉았다. 둘이 같이 로봇을 살짝 들어 올린 후 혜리는 아랫부분을 비춰보며 말했다.

"고요의 밤에 아파트 정문을 뚫고 직접 쳐들어가는 게 아니라, 굳이 로봇으로 유리창을 뚫어서 잠을 못 자게 할 정도로 어떻게 보면 전문적이지만 또 어떻게 보면 비효율적이고 이해가 잘 안 되는 이상한 방법으로 작업하는 데에는 이유가 있어요. 이 방법대로 해야 만약 둘 다 면역자가 아닐 때 뒤탈 없게 자기들 집 안에서 못 자게 하면서도 발현자가 되게끔 할 수 있거든요. 물론 재미도 있지만요."

혜리가 로봇을 다시 내려놓자, 혁수는 일어나서 다시 주위를 살펴보기 시작했다. 여전히 쪼그려 앉아있는 혜리는 혁수에게 왼팔을 쭉 뻗어 세 손가락을 펴 보였다. 그러면서 시선은 여전히 로봇을 뚫어져라 쳐다보며 말했다.

"왜 집 밖으로 안 나오느냐 그걸 물어봤죠? 먼저, 안전한 집 밖으로 나오면 그 순간부터 자신들이 바깥에 그대로 노출되니까 훨씬 위험하겠지요. 상대는 8층 아파트 창문을 뚫고 생전 처음 보는 물건을 집어넣을 정도의 기술을 가지고 있는데 아무 대비 없이 무턱대고 밖에 나갈 수는 없을 거예요."

혜리는 로봇 하단부에 손을 넣어 버튼을 누른 후 뚜껑

을 열어보았다. 그러면서 계속 설명했다.

"그러면서 정체불명의 괴한이 뚫린 유리창 구멍으로 소리만 내는 짜증 나는 로봇들만 여러 개 보냈으니, 안에서 어떻게든 해결해 보려고 할 거예요. 로봇들만 막으면 된다. 다치지는 않을 거니까 어떻게든 잠만 잘 수 있으면 별 탈 없지 않을까? 마지막으로 사실 제일 중요한 건데, 어린 딸을 돌봐야 하는 아빠라서 기동력이 떨어질 테니 더 나가기 힘들 거예요. 행동반경이 훨씬 줄어들 테니 고요의 밤에 그 좁은 반경에서 뭘 하기는 남들보다 힘들겠지요. 그래도 나오면 뭐 아저씨 생각대로 납치하면 되긴 하겠지만, 지금은 그런 상황이 안 오면 좋겠어요. 자발적으로 데리고 가야 의미가 크니까."

그리 만족할 만한 답변을 얻지 못한 듯한 표정의 혁수는 약간의 침묵을 지킨 후 대답했다.

"알겠습니다. 그러면 이제 남은 일은 안에서 잠을 못 자기를 비는 것입니까?"

"그렇게 소동을 한바탕 겪고도 다음 날에 둘 다 잠을 잘 잔다면 그땐 조금 위험하지만 밖에 나오길 기다렸다가 납치해야겠네요. 오늘 소동 때문에 최대한 조심스럽게 행동할 거라 납치하기가 힘들겠지만요."

혜리는 일어나 팔을 쭉 펴며 기지개를 켰다. 그리고 고개를 이리저리 돌리며 목 스트레칭을 하기 시작했다. 혁수는 혜리 앞에 있는 로봇을 들고 트렁크 안으로 다시 집어넣었다. 그리고 차에 기댄 채 주머니에서 담배를 꺼내 물려고 하다 혜리에게 담배를 압수당했다. 낚아챈 담배를 다시 혁수에게 건네주며 혜리가 말했다.

"아무리 고요의 밤이고 보는 인원이 없다고 해도 담배는 내일 펴요. 혹시나 발현자가 올 수도 있고, 현장에 불필요한 증거가 남을 수도 있으니까요. 카퓌시(capisce)?"

"쩝. 알겠습니다. 그나저나 저번에 소리 지르면서 녹음하는 모습 봤는데, 그것도 어느 정도 의도가 있는 겁니까?"

혁수의 물음에 웃음보가 터져버린 혜리. 한참을 웃다가 간신히 입을 손으로 막으며 웃음을 멈추고 말했다.

"그건 그냥 동생 놈이랑 같이 살 때 장난치던 게 생각나서 그런 거예요. 늦잠이나 낮잠 자는 거 볼 때마다 내가 그렇게 깨웠거든요. 녹음한 소리 가지고 조금씩 변형시키면서 어떤 소리가 가장 사람 귀에 거슬릴지 하나하나 테스트해 봤어요. 자, 이제 30 분마다 소리가 잘 울리는지만 조종기 모니터로 보고 있으면 되겠네요. 여기 방금 하나가 시간에 맞춰 소리를 내다가 연결이 끊겨버렸어요. 부쉈거나 뭐 어떻게든 잘 해치웠겠네요."

같은 시각, 시혁과 수아는 지금 방 안에서 긴급하게 회의하는 중이었다. 베란다 창문에 난 구멍은 다시 문제가 생기지 않도록 책장으로 막아놓은 상태였다.

"정확히 몇 개인지는 못 봤어?"

수아가 물었다.

"어두워서 잘 못 봤다니까. 적어도 대여섯 개는 본 것 같은데, 잘 모르겠다. 지금 이 시각에 밖에 나간다고 해도 도와줄 사람도 없는데. 일단 다시는 못 들어오게 조치는 했는데 또 유리를 뚫고 들어올 수도 있어서 장담은 못하겠다."

"아빠, 지금 몇 시간 남았어?"

"1 시간 30 분. 12 시 20 분까지는 무조건 자야 해. 일단 집 안에 숨어있는 그 망할 것들 좀 찾다가 안 되면 자야 할 텐데, 평소에 집 좀 잘 치우고 살 걸 그랬나. 생각보다 찾기 힘드네."

"아까처럼 또 그런 소리 내면서 돌아다니면 잠자기는 글렀는데, 어떡하면 좋지. 응?"

"일단 최후의 수단으로 수면제를 조금 증량해서 강제로 자는 건 생각해 봤는데 안 깰 수 있을지는 모르겠다. 일단 11 시 50 분까지는 다시 찾아보자. 보물찾기한다고 생각하고."

대화를 마치고 수아와 시혁 둘 다 방, 거실, 화장실 할 것 없이 뒤져보기 시작했다. 곧 또다시 들려오는 괴성.

'꺄아아악. 쿵 쿵 쿵 쿵.'

아까보다 더 큰 소리로 들리는 듯한 소음에 귀를 막고 소리의 진원지인 베란다로 나섰다. 화분이 덜덜덜 떨리면서 소리를 내는 걸 발견한 시혁은 흙이 살짝 덮여있는 검은 구체를 집어 들어 그대로 방금처럼 수장시켰다. 시혁은 귀가 아파 잘 들리지 않는지 본인의 귀를 어루만지며 얼굴을 잔뜩 찌푸린 채 소리쳤다.

"지금도 귀에서 울리는 거 같다. 빨리 계속 찾아보자."

그렇게 다시 30 분이 흐른다. 시간은 11 시 25 분. 세 번째 괴성을 들을 때까지 총 다섯 개의 공을 욕조에 담았다. 넋이 나간 듯한 수아가 시혁에게 말했다.

"얘네들 우리 보면서 움직이는 거 맞지? 이거 말이 안 돼. 하나는 어떻게 올라갔는지는 모르겠는데 천장 구석

안 보이는 곳에 붙어 있었잖아. 혹시 모르니까 약 미리 꺼내놔 아빠."

"괜찮아. 다섯 개 찾았으니까 이제 얼마 안 남았을 거야. 조금 더 찾아보자."

"확실해? 얼마나 더 있는지도 잘 모르잖아. 한 10개 정도 더 있으면 어떡하려고 그래. 그리고 원래 보물찾기는 마지막 보물이 제일 찾기 어렵단 말이야."

"그렇긴 해. 그리고 평소 같으면 자고 있을 시간인데 오랜만에 이 시간까지 깨어있으면서 계속 돌아다니면서 물건 뒤지니까 너무 졸리다. 이제는 소리도 조금 적응되는 것 같아."

하품하는 시혁을 보자 수아도 따라서 하품했다. 머리를 긁적이고 눈을 비비는 수아가 힘없이 시혁에게 말했다.

"차라리 방법을 조금 바꿔야 할 거 같아. 내가 아빠를 지키는 방법으로 말이야. 나는 자도 그만 안 자도 그만인데 아빠는 아니잖아."

다시 아파트 아래 검정 SUV 내부. 혁수는 운전석에 엎드려 자고 있고, 혜리는 트렁크에 걸쳐 앉아 조종기 디스플레이를 바라보고 있다. 시혁과 수아가 하는 대화가 조종기 스피커를 타고 지직거리는 소리와 함께 들리고 있었다.

"생각보다 잘 찾네. 이제 남은 세 개 중 두 개는 쥐 죽은 듯이 있다가 한 시간씩 울리면 되겠다. 최후의 하나는 아꼈다가 내가 조종해야겠군. 다행히 방 구조는 구체들이 돌아다니며 초음파로 다 파악했으니 어렵지 않겠어."

혼잣말로 중얼거리던 혜리는 주머니에서 분홍색 껌 하

나를 꺼내 질겅질겅 씹으며 계속 말했다.

"자도 그만 안 자도 그만이라....... 듣던 중 반가운 소리네. 수아야. 이제 아빠를 어떻게 지킬 거니."

19

"아빠를 지켜준다고? 어떻게 말이야?"

시혁이 수아에게 물었다.

"방음실을 만들자. 집 구석구석 몇 개 남아있을지도 모르는 공을 찾는 것보다는 공이 확실히 없는 공간을 만들자는 거지. 저걸 이용해서 말이야."

수아가 손가락으로 가리킨 것은 옷장이었다. 수아가 덧붙여 말했다.

"저걸 눕혀서 안에서 자. 공기 통할 구멍만 살짝만 열어놓고 나머진 이불로 덮으면 소리도 거의 안 들릴 거 같지 않아? 수면제 먹으면 어떻게든 안에서 하루는 잘 수 있겠지. 나는 밖에서 지키고 있을게."

"공 말고 다른 게 또 넘어오면 어떡하지? 아니면 공이 갑자기 터져버린다거나."

"어차피 그런 상황이면 우린 끝인 거야. 지금 당장 할 수 있는 걸 해야 해. 지금 제일 중요한 건 내가 아니라 아빠가 자는 거니까 할 수 있으면 빨리하자. 저거 눕힐 수 있지?"

수아와 시혁은 옷장 안에 있는 이불, 각종 옷을 전부 바닥에 내던지고, 서랍까지 빼버렸다. 그리고 힘겹게 바닥에 옷장을 눕히고, 수아가 말한 대로 던져놨던 이불과 옷을 최대한 옷장 표면에 덮었다. 그때 시계에서 작게 삐거리는 소리로 12시가 되었음을 알려주었다.

모든 준비를 마친 시혁은 쓰러져있는 옷장 안으로 들어가 수아가 가져다준 수면제와 물을 마시고 누웠다. 옷장 문을 닫기 전 마지막으로 시혁이 수아를 대견해하며 말했다.

"우리 수아, 진짜 다 컸네. 수아 믿고 꼭 잘게. 오늘 무사히 넘기면 내일 바로 서울로 가자."

"그건 내일 이야기하고 일단 빨리 자. 귀마개랑 안대 쓰고. 문 닫을게."

시혁은 오른손 검지와 중지로 '잠자다'라는 수어를 표현한 후 안대를 썼다. 수아는 이불 일부분을 끼운 채 힘겹게 옷장을 닫고, 그 위를 옷으로 덮었다.

이제는 수아 혼자 이 상황을 해결해야 했다.

한편, 여전히 SUV 안에서 모든 대화를 듣고 있던 혜리는 혼잣말로 중얼거렸다.

"꽤 머리를 쓰는구나 꼬마야. 한 시간 내로 승부를 봐야겠다."

조종기 모니터를 몇 번 터치하자 초록색 화면에 하얀 외곽선으로 방 안 모습이 나타났다. 혜리는 왼손으로 턱을 괸 채 눕혀진 옷장과 그 위를 덮고 있는 여러 옷가지, 이불, 그리고 그 앞에 앉아서 졸고 있는 듯한 수아의 모습까지 실시간으로 바라봤다.

혜리는 트렁크 안에 있던 가방에서 작은 무선 키보드를 꺼냈다. 그러고는 무릎 위에 가방을 올리고 다시 그 위에 키보드를 올린 채 옆에 둔 조종기 모니터에 떠 있는 검은 화면을 보며 무언가를 열심히 입력했다. 곧 엔터키를 두 번 연속 누르며 마무리 짓고는 다시 조종기를 들고 모니터를 터치했다. 그러자 방금 뜬 검은 화면 속 하얀 글자들, 혜리가 있는 방을 보여주는 화면 모두 사라지고 빨간 글씨로 다음과 같은 숫자만 출력되었다.

'1:12:04'

'1:12:03'

'1:12:02'

1 초가 지날 때마다 기존에 출력됐던 시간은 한 줄 위로 올라가고 아래에 1 초가 줄어든 시각이 출력되고 있었다.

"쩝, 오타 났나 보네. 시간은 그래도 제대로 뜨는 거 같으니까 이제 가볼까. 아저씨. 이제 출발하시죠."

혜리가 입술을 삐죽 내밀며 혁수의 어깨를 손으로 톡톡 두드렸다. 잠에서 깬 혁수가 룸미러로 혜리를 쳐다보고 시동을 걸며 말했다.

"작업은 끝났습니까? 한 2 시간 정도 더 있어야 하지 않습니까?"

"원래는 그럴 작정이었는데, 계획을 바꿨어요. 내일도 오늘처럼 미행 붙이고 조금만 지켜보면 될 것 같아요. 출발하죠. 나도 가서 자야겠어요."

의미심장한 미소를 지으며 등받이에 한껏 기대며 눈을 감는 혜리. 그렇게 검정 SUV 는 미련 없이 아파트 단지를 떠났다.

한편 여전히 아빠를 지키기 위해 깨어있기로 했던 수아

는 옷장을 둘러놓은 이불 위에서 꾸벅꾸벅 졸고 있었다. 그때 집 구석구석에서 숨어있던 세 개의 검은 구체가 수아에게 천천히 다가갔다. 자신에게 다가오는 검은 구체를 발견한 수아는 간신히 잠에서 깬 채 몸을 일으켜 세우고, 이불과 옷으로 덮어놓은 옷장을 다시 한번 살펴보았다.

이불과 옷으로 덮여 있긴 했지만 10 살도 안 된 어린 여자아이가, 그것도 급한 대로 마구잡이로 덮어놓은 터라 다소 엉성하게 보이는 건 사실이었다. 그래도 수아는 최대한 옷장 겉면이 보이지 않도록 구체의 눈치를 보면서 다시 한번 이불을 덮어가며 보완해 보았다.

그때 갑자기 검은 구체가 엄청나게 빠른 속도로 굴러다니며 수아에게 달려들었다. 수아는 가까스로 뛰어올라서 피했다. 구체들은 옷장을 둘러싼 이불에 부딪히고 다시 튕겨 나왔다. 구체는 윙윙거리는 소리와 함께 계속해서 돌아다녔다. 수아가 피하고, 옷장에 부딪히고를 반복하다 보니, 뭔가 이상함을 느낀 수아는 자리에 멈춰 섰다.

옷장에서 튕겨 나온 구체가 다시 한번 움직이자, 이번에는 피하지 않는 수아. 구체는 수아를 피해 옷장으로 다시 돌진했다. 그제야 구체가 노리는 건 수아 자신이 아닌 시혁이었음을 깨닫는다.

"얘네들 지금 아빠를 노리고 있잖아."

구체가 가하는 거듭되는 충격에 이불이 점차 흘러내려 연갈색 옷장이 맨몸을 드러내고 있었다. 수아는 급하게 이불과 옷을 다시 옷장을 잘 덮어주도록 정리하고 옆방으로 빠르게 뛰어가 방에서 곰 인형이나 베개 같은 부드러운 물건들을 모두 가져와 옷장 앞에 쌓았다. 그리고 화장실에서 두루마리 휴지를 한 다발씩 들고 와서 옷장 주변에 흩뿌렸다. 마지막으로 부엌에서 냄비를 세 개 들고 와 구체가 스스로 부딪히면 넘어져서 가둘 수 있도록 비스듬하게 세워뒀다.

수아가 거실을 지나가며 시계를 힐끗 보고는 밤 1시가 되었음을 확인했다. 수아는 양손으로 커다란 냄비를 껴안은 채 양 끝 손잡이를 잡고 구체가 날아다니는 기회를 잡으려고 몇 번이나 몸을 날렸다. 열 번째 시도에 드디어 구체 하나를 냄비로 가두는 데 성공했다. 구체는 멈출 생각 없이 냄비 안에서 깡깡거리는 소리를 내며 빠른 속도로 충돌해 댔다. 수아는 그대로 몸으로 냄비를 누른 채 화장실까지 밀고 간신히 욕조에 수장시켰다. 수아는 혹여나 시혁이 깰까 봐 소리는 내지 않으며 입 모양으로만 나이스라고 외치며 좋아했다.

나머지 두 개의 구체는 옷과 휴지에 걸려서 옷장까지는 도달하지 못했지만, 여전히 방 안에 있는 난장판이 된 물건들과 벽에 부딪히며 난리를 쳐대고 있었다. 이번엔 다섯 번 만에 하나를 잡아버리고, 단 하나의 구체만을 남겨두고 있었다. 진이 빠진 수아가 넋두리했다.

"드디어 마지막이다. 저거만 잡으면 이제 진짜로 자야지. 아빠는 안 깨고 안에서 잘 자고 있겠지? 너무 피곤하다."

수아는 마지막으로 몸을 날려 하나 남은 구체를 가두려 하다가 그대로 앞으로 자빠졌다. 지금까지 수아를 피해서 돌아다니던 구체가 미처 피하지 못한 건지 수아의 이마에 그대로 돌진했다.

"으악!"

눈물을 찔끔 흘리며 이마를 부여잡고 굴러다니는 수아. 구체는 계속해서 수아의 팔, 다리와 차례대로 부딪히다가 타는 냄새와 함께 그대로 멈춰버렸다. 수아는 마지막 남은 구체를 간신히 부여잡았다.

"앗 뜨거워!"

수아는 겨울철 뜨거운 고구마를 잡듯 구체를 손에 이리 저리 굴려 가며 휘청거리면서 화장실로 향했다. 그러고는 바로 구체를 바로 욕조에 집어 던졌다. 욕조 안에 잠겨있는 8개의 검은 구체가 혹시나 움직이지 않나 샤워기로 물을 쏴서 이리저리 굴려보고는 세면대 앞 거울로 아까 맞은 이마를 살펴보았다.

"아야, 아야....... 시커멓게 멍이 들었네."

터덜터덜 옷장 앞으로 돌아온 수아는 난장판 사이에 흘러나온 이불을 바닥에 깔고 멍이 든 이마를 만지작거리다가 그대로 잠이 들었다.

20

'쿵'

8시를 알리는 알람 소리에 눈을 뜬 시혁은 일어나려다 옷장 문에 그대로 머리를 부딪쳤다. 이마를 부여잡은 채 옷장 문을 천천히 열고 자리에서 일어난 시혁은 옷장 옆에서 아직 새근새근 잠을 자는 수아를 발견했다. 시혁은 수아를 깨우기 위해 바닥에 깔린 잡동사니를 옆으로 치우고 바닥에 앉으려다 이마, 팔, 다리 할 것 없이 군데군데 멍이 든 채 곤히 잠든 수아의 모습을 보고는 좀 더 두기로 했다.

소리를 내지 않으려고 발뒤꿈치를 든 채 옷장을 빠져나와 부엌으로 향하는 시혁. 어젯밤 끔찍한 괴성으로 가득 찼던 집은 곧 기분 좋은 계란 프라이 굽는 소리로 가득 찼다. 시혁이 아침 준비를 거의 마칠 때쯤 잠에서 깬 수아는 힘겹게 실눈을 뜬 채로 거실 소파에 앉았다.

시혁은 비닐봉지에 얼음을 담고 수건으로 감싼 얼음 주머니를 가지고 말없이 수아의 이마에 대주었다. 통증 반 차가움 반 짜릿한 느낌이 섞여 순간적으로 움찔거리던 수아는 곧 적응된 건지 아무 말 없이 다시 이마를 들이밀었다. 수혁이 먼저 말했다.

"잘 잤어? 그래도 이 정도로 끝나서 정말 다행이야."

"응. 나는 검은 공한테 몇 대 맞고, 넘어진 거 빼곤 괜찮아. 내가 다 물리쳤어. 아빠는 옷장에서 잘 잤어? 중간에 깬 건 아니지?"

"옷장 안에서 걱정돼서 못 잘 뻔했는데, 그래도 우리 수아 믿고 겨우겨우 잠들었어. 눈을 감았다가 뜨니까 바로 아침이더라고. 괜찮을 거야."

수아는 이마에 얼음 주머니를 댄 채로 시혁의 다리를 베개 삼아 누웠다. 그러고는 오른 주먹을 허공에 한 번 내지르고는 오른손으로 얼음 주머니를 가져다 팔에 문질렀다. 시혁의 다리를 베고 누운 채로 천장과 시혁을 동시에 바라보던 수아가 물었다.

"어제 도대체 왜 그런 일이 일어난 걸까? 혹시 내가

107

면역이 있다는 게 소문이 나서 날 노린 걸까? 나는 아빠 말고는 누구한테도 말한 적 없는데. 아빠는 혹시 말한 적 있어?"

"아니, 나도 없지. 일단 밥 먹으면서 얘기할까? 계란 다 식겠어. 그거는 계속하면서 밥 먹어. 냉찜질해야 멍이 빨리 사라져."

수아는 얼음 주머니를 한 손에 꼭 쥔 채 먼저 자세를 고쳐 앉고 일어났다. 식탁에서 시혁과 수아는 한동안 말 없이 아침 식사를 했다. 아무래도 어젯밤 소동의 여파인 듯 밥을 먹으면서도 이따금 주위를 둘러보는 수아. 수아 가 밥을 반 공기 정도 비웠을 때쯤 시혁이 말했다.

"밥 다 먹고 짐 싸서 바로 나서자. 이제는 가기 싫어도 나가야겠어."

"어디로? 서울로?"

"응. 그리고 혹시 모르니까 자세한 이야기는 밖에서 계 속하자. 혹시 모르잖아."

시혁의 말을 듣고 고개를 끄덕거리는 수아는 입만 최대 한 크게 뻐끔거리며 소리 없이 다음과 같이 말했다.

'누가 들을 수도 있으니까?'

고개를 끄덕거리는 시혁. 그렇게 둘은 아무 말 없이 아 침 식사를 마쳤다.

시혁과 수아가 여행용 가방에 짐을 챙기고 있을 때 비 슷한 시각 장씨폐차장, 혜리와 혁수는 폐차장을 거닐며 이야기를 나누고 있었다. 혁수가 한숨을 쉬며 먼저 말했 다.

"이제 수아라는 아이는 면역자인 게 확실한데 그냥 기

회 보고 바로 잡으면 안 됩니까? 어젯밤에 딸아이 아빠 말로는 서울로 갈 거라고 했는데, 다른 지역으로 이동하면 일이 너무 복잡해질 수도 있습니다."

"서울 가면 좋지요. 뭐. 어차피 백상아리에게 면역자 넘겨주면 서울로 갈 건데 바로 가져다주면 좋아하겠지요. 그리고 딸만 납치하든 부녀를 같이 납치하든 아빠가 정상이면 곤란한 상황이 생길 확률이 너무 높아요. 일단 면역자는 최대한 안 다치는 선에서 데리고 가야 하는 것도 잊지 말아야지요."

어깨를 으쓱거리며 대답하는 혜리. 혁수는 묵묵히 혜리의 말을 듣고 있었다.

"그리고 딸 아빠가 발현자가 됐는지 아닌지는 지켜보면서 기회만 잘 포착하면 될 거예요. 어제 일로 발현자가 됐을 확률은 반반 정도 될 거 같거든요. 차 내부까지 도청은 힘들어서 서울 어디로 갈지는 모르겠지만 대구와 다른 도시는 상황이 전혀 다르니까, 기회는 아주 많을 거라 걱정 안 해도 돼요. 아직 차가 추적당하는지는 모르는 거 같으니까 몰래 따라붙을 준비나 하죠. 지금까지 잘 해왔잖아요."

"의심해서 그런 건 아닙니다. 다만 걱정이 될 뿐입니다. 그것도 잘 아시지 않습니까."

"잘 알죠. 아버지가 돌아가시고 나서 걱정이 많이 늘었지요. 그리고 혹시나 실패한다 해도 새로운 걸 배울 기회라고 생각해 주세요. 저는 아직 제 촉을 믿고 지금까지는 잘 해왔으니, 이번에도 믿어보려고요. 아저씨도 믿어주세요."

"네, 알겠습니다. 그러면 목표물이 움직일 기미가 보이면 바로 따라갈 수 있도록 준비해 놓겠습니다."

"고마워요. 폐차장은 당분간 닫아야겠네요."

약 1시간 뒤, 시혁과 수아는 아파트 지하 주차장에 주차된 차 안에서 이야기를 나누고 있었다. 트렁크에는 생수통, 과자, 에너지바, 전투식량, 여행 가방 등 밖에서 며칠은 버틸 수 있도록 만반의 준비를 한 듯한 흔적들이 고스란히 보관되어 있었다.

"연구소에 연락해 보고 가는 게 좋지 않을까 아빠? 그냥 연구소에 들어간다고 무턱대고 아무나 받아줄 것 같지는 않은데."

"서울 도착하면 연락해 보려고 했는데, 미리 하는 것도 나쁘지는 않겠지. 혹시 연구소까지 가는 데 도움을 좀 받을 수 있을지도 모르니까."

"그런데, 아빠. 차 안에서는 괜찮은 거 맞아? 여기서도 누가 듣고 있으면 어떻게 해?"

잠시 고민하던 시혁은 핸들을 만지작거리다 말했다.

"서울로 그나마 안전하게 올라갈 방법이 차밖에 없으니까 어쩔 수 없어. 일단 전화부터 하자."

시혁은 휴대전화로 전에 찍어뒀던 한국감염병연구소 광고 마지막에 소개되었던 연구소 건물의 주소, 홈페이지 주소, 전화번호와 QR 코드가 나오는 사진을 찾아 연구소 전화번호로 연락했다. 발랄한 통화연결음이 짤막하게 들린 후 차분한 여성의 목소리가 들려왔다.

- 대한민국 국민의 감염병 예방 및 치료를 책임지는 한국감염병연구소입니다. 감염병에 관한 정보 및 상담을 제

공하는 ARS 서비스로 자동 연결되었습니다. Zzz 바이러스 관련 정보 안내는 1 번. 연구소 안내는 2 번. 후원 안내는 3 번. 기타 감염병 관련 정보 안내는 4 번. 기타 문의 사항은 0 번을 눌러주세요. 다시 듣고 싶으시면 별표를 눌러주세요.

0 번을 누르는 시혁. 곧 굵은 목소리의 남성이 전화를 받았다.

– 한국감염병연구소입니다. 무엇을 도와드릴까요?

"네, 안녕하세요. 저는 대구 사는 정시혁입니다. 다름이 아니라, 광고에서 Zzz 바이러스에 항체가 있는 사람을 찾는다고 해서요. 제 딸이 면역자입니다.

– 네, 혹시 따님 성함과 나이를 알 수 있을까요?

"정 수 아 입니다. 나이는 8 살입니다."

– 네, 우리 연구소 방문을 희망하시면 평일 09 시에서 18 시 사이에 방문해 주시면 됩니다. 연구소에서 간단한 검사를 거친 후 면역자로 판명되시면 Zzz 바이러스 TF 에서 항체 관련 안내 사항을 안내해 드릴 겁니다. 연구소 주소를 안내해 드릴까요?

"주소는 이미 알고 있고, 평일에 바로 찾아가기만 하면 되나요?"

– 방문 예약은 제가 접수하였습니다. 15 일 내로 방문 부탁드리겠습니다.

"네, 알겠습니다. 감사합니다."

시혁은 전화를 끊고 차 시동을 걸었다. 수아가 뒷좌석에서 물었다.

"바로 출발하는 거야?"

"응, 이제 진짜 갈 건데. 확실한 거 맞지? 지금이라도 안 가고 싶으면 말해."

"나는 준비 됐어."

수아는 오른손 엄지손가락을 내밀어 보였다. 자동차는 아파트 지하 주차장을 나서 마을을 뒤로하고 대구 시내를 빠져나가기 시작했다.

이 사실은 곧 시혁의 자동차에 달린 GPS 추적 장치를 통해 혜리와 혁수에게도 전해졌다.

"저희도 슬슬 출발할까요? 미행은 잘 붙여뒀겠죠?"

폐차장 컨테이너 옆에 주차된 회색 SUV 트렁크를 닫으면서 혜리가 옆에 서 있던 혁수에게 물었다.

"네, 최대한 눈치채지 못하게 거리를 좀 넉넉하게 두고 따라가라고 해두었습니다. 저희도 준비는 다 마쳤으니 따라붙도록 하겠습니다."

"좋아요. 별 탈 없이 서울까지 갔으면 좋겠네요. 작년 기억하시죠? 그때처럼 문제 안 생겼으면 좋겠네요. 이제 출발!"

어젯밤 타던 아파트에 잠입했던 SUV 보다 더 큰 회색 SUV 도 혁수와 혜리를 싣고 폐차장을 나섰다.

21

출발한 지 3 시간째 꽉 막힌 고속도로에서 브레이크를 밟았다가 놓았다만 반복하고 있는 시혁. 수아는 뒤에서 아무 걱정 없이 자고 있었다. 할 수 없이 출발 후 처음

맞닥뜨린 고속도로 휴게소에서 쉬어가기로 했다. 시혁은 휴게소 건물 바로 앞에 차를 주차한 후 수아를 부르며 깨웠다.

"수아야, 휴게소 왔어. 점심 먹고 가자."

눈을 제대로 뜨지 못하는 수아는 비몽사몽 어눌해진 발음으로 대답했다.

"응? 벌써 서울 다 왔어?"

"아니, 지금 도로가 꽉 막혀서 출발하고 나온 첫 휴게소에서 쉬었다 가야 할 거 같아. 워낙 상태 안 좋은 운전자들이 사고를 많이 내서 차가 많이 막히는가 봐. 배고프지?"

대답 대신 수아는 눈을 꼭 감은 채 고개를 끄덕거리기만 했다. 그러고는 수아는 잠에서 깨기 위해 앙증맞은 두 팔을 위로 쭉 펴서 스트레칭을 했다. 시혁이 먼저 차에서 내리자, 수아도 아빠를 쫄래쫄래 뒤따라갔다.

휴게소 식당 실내로 들어가자 피곤함에 못 이겨 차에서 정신없이 자던 수아의 모습은 온데간데없고, 잔뜩 흥분한 듯 눈을 반짝이며 메뉴판이 뚫어지라 바라보는 한창 먹성 좋은 8세 아이로 돌변했다.

"아빠, 여기서 뭐 먹을 거야?"

수아가 기대에 찬 목소리로 묻자, 덩달아 피로가 풀린 듯한 시혁은 웃으며 대답했다.

"네가 좋아하는 것 중에 고르면 돼. 아무거나 괜찮으니까 마음껏 골라."

수아는 고개를 끄덕이고는 한참을 고민하다가 결정했다.

"저기 치즈돈가스랑 참치김밥 먹을래!"

시혁은 웃으며 무인 단말기 화면에서 수아가 고른 메뉴에 라면 한 그릇을 추가해서 주문을 마쳤다. 시혁과 수아는 출력된 번호표를 가지고 빈 테이블에 앉아 음식을 기다렸다. 휴게소는 사람들로 북적거려서인지 음식이 나오기까지 시간이 좀 걸리는 듯했다. 자리를 잡은 지 꽤 오랜 시간이 흐르고 나서야 마침내 번호표에 출력된 번호가 모니터에 나타났다. 시혁은 식당 옆 편의점에서 산 시원한 콜라를 마시던 수아를 데리고 음식을 가지고 가려고 했다.

"자리 안 맡아도 돼? 둘 다 가면 누가 앉을 것 같은데."

콜라 캔을 손에 쥔 채 수아가 물었다.

"사람들 많아서 괜찮을 거 같긴 한데 그래도 혹시나 모르니까 붙어 다니는 게 좋아. 콜라 캔을 자리에 두고 가면 저기 바로 앞까지 가기 전에 다른 사람이 앉거나 아주머니가 치우진 않을 거야."

콜라는 자리에 두고 식당 모퉁이 간판에 '중앙분식'이라고 적힌 곳으로 향하는 시혁과 수아는 김이 모락모락나는 치즈돈가스와 라면, 그리고 참치김밥을 들고 자리로 돌아왔다. 시혁이 수아 앞에 있는 치즈돈가스를 잘라주며 말했다.

"서울까지 가는 내내 이렇게 막힐지는 모르겠는데, 이렇게 계속 차가 막히면 아빠 생각에는 오늘 상주쯤에서 하룻밤 자는 게 맞는 거 같아."

수아는 돈가스를 문 채 고개를 끄덕이며 정신없이 돈가스 속에 들어있는 치즈를 포크로 쭉쭉 늘어뜨리고 있었다. 치즈가 끊어지고 나서야 수아가 말했다.

"밖에서 자는 건 정말 오랜만이네. 호텔 같은 곳에서 자는 거야? 막 수영장도 있고 조식 뷔페도 있는 그런 곳에서?"

"글쎄, 찾아봐야 할 거 같긴 한데, 그런 곳은 지금은 큰 도시에서나 있을 거야. 돈도 많이 들기도 하고. 그래도 안전하게 잠을 잘 수 있는 곳은 있지 않을까?"

식사를 마치고 기분 좋은 포만감을 느끼며 휴게소 출입구로 향하는 수아와 시혁. 그때 열 명 정도 되는 무리의 사람들이 각각 다섯 명씩 출입구 두 곳을 막아섰다. 시혁은 일단 수아와 함께 다시 출입구와 가장 가까이에 있던 빈 테이블 의자에 앉았다. 휴게소 식당은 곧 웅성거리는 소리로 가득 찼다.

출입구 한 곳에서 하얀 확성기를 들고 있는 한 덩치 좋은 남성이 식당으로 뚜벅뚜벅 걸어들어왔다. 키는 그리 크지 않지만, 남들보다 1.5 배는 굵은 팔뚝과 종아리에서 왠지 모를 위압감이 느껴지는 그런 외모였다. 확성기 전원을 켜고 위로 들어 올린 채 버튼을 누르자 고막을 찢을 듯한 시끄러운 소리가 식당 내에 울려 퍼졌다. 휴게소에 있던 모든 사람이 확성기를 든 남자에게 주목했다. 남자는 주머니에서 명찰을 꺼내 보이며 말했다.

"아, 아. 식사 중에 죄송합니다. 저는 경북방역센터 Zzz 특별반에서 나온 최성진 조장이라고 합니다. 잠시 바이러스 발현자 검문이 있겠습니다. 식사가 끝나신 분들 먼저 출입구로 와주시면 확인 후 보내드리도록 하겠습니다."

"갑, 갑자기 웬 검문이에요? 우리가 뭔 잘못이 있다고."

식당 구석에서 수아 또래로 보이는 남자아이, 그리고

남편과 같이 앉아서 식사하던 붉은 원피스를 입은 아주머니가 말을 더듬거리며 물었다.

"네, 다름이 아니라 Zzz 바이러스 특별법 제 30 조 및 도로교통법 제 47 조 관련해서 고속도로 내에 졸음운전으로 말미암은 사고가 일정 횟수 이상 발생하여 도로가 마비되는 경우 도로 및 인근 휴게소에서 검문하게 되어있습니다. 누군가가 잘못해서 감시 목적으로 검문하는 게 아니라, 시민분들의 안전을 위해서 실시하는 검문이오니 양해 부탁합니다."

"아빠, 빨리 나가자."

수아가 눈치를 보며 소곤소곤 속삭이듯 시혁에게 말했다. 시혁도 수아에게 속삭였다.

"잠시만, 다른 사람들 하는 거 보고 나가자. 원래 이런 일 생기면 먼저 하는 게 별로 안 좋더라."

휴게소에 있는 대부분의 다른 사람들도 같은 생각인 것 같았다. 그때 방금 Zzz 특별반 조장에게 질문했던 아주머니가 눈치를 보다가 먼저 일어나 출입구로 향했다. 나머지 가족들도 아주머니 뒤를 따라갔다.

"네, 다른 분들도 협조 부탁합니다. 모든 인원이 출입구에서 줄을 서면 실내가 혼잡해질 수 있으니, 검문 담당관 분들이 돌아다니면서 이상이 없으면 오늘 날짜가 적힌 작은 배지를 드릴 겁니다. 배지를 받으신 분들은 말씀해 주시면 바로 보내드리겠습니다."

최성진 조장은 자신의 왼쪽 가슴 쪽에 달린 하얗고 네모난 배지를 가리키며 확성기를 통해 말했다. 배지에는 눈을 감고 있는 표정의 노란 이모티콘과 함께 하단에 날

짜가 적혀있을 자리로 보이는 밑줄이 그어져 있었다.

그때 출입구로 먼저 걸어나가던 아주머니가 갑자기 기합에 가까운 소리를 지르며 출입구를 막고 있는 사람들에게 돌진했다. 갑작스러운 행동에 놀란 담당관들을 밀쳐내고 그 틈에 남편과 아들은 출입구를 빠져나가려 했다. 심지어 아주머니의 힘에 밀린 담당관 중 한 명은 넘어져, 주머니에 가득 넣었던 배지가 휴게소 바닥에 흩뿌려지기까지 했다. 하지만 아주머니는 금방 진압당했고, 남편과 아들도 얼마 못 가 잡혀서 휴게소로 다시 돌아오게 되었다. 바닥에 떨어진 배지는 다른 담당관들이 서둘러 주워 담았다.

검문관 중 한 명이 펜 라이트로 아주머니, 남편, 아들의 눈에 각각 빛을 비춰보고 혀에 무언가를 대보더니 아이의 손에 수갑을 채우고 어디론가 데리고 갔다. 아주머니와 남편은 고개를 푹 숙인 채 아무 말 없이 아이의 뒤를 따라갔다. 다른 검문관이 최성진 조장에게 귓속말로 무슨 말을 속삭이더니 최성진 조장이 다시 확성기를 들고 말했다.

"잠시 소란이 있었습니다. 방금 검문관 분들과 같이 따라나간 아주머니 가족분은 아들이 발현자 의심으로 판정되었습니다. 재검사 후 발현자가 맞는다면 시설에서 얼마 남지 않은 며칠 동안 아이가 가능한 행복한 시간을 보낼 수 있도록 노력해 주실 겁니다. 검문관 분들은 계속 진행해 주세요."

최성진 조장의 말이 끝나기가 무섭게 휴게소 내에 있던 사람들은 크게 세 무리로 나누어졌다. 첫 번째 무리는 출입구에 서둘러 줄을 서려는 무리. 아마 이들은 발현자가 아닐 것이다. 두 번째는 자리에 앉아 식사를 마저 하며 검사를 기다리는 무리. 이들도 역시 발현자는 아닐 것이다.

문제는 마지막 세 번째 무리. 어떤 사람은 수아처럼 돈가스를 먹기 위해 가져온 포크와 나이프를 들고 검문관에게 휘두르려 하고, 어떤 사람은 도망가다가 혼자 넘어지기도 하고, 또 다른 사람은 식당 옆 편의점에서 고속도로 휴게소에서는 절대 팔지 않는 술을 찾다가 포기하고 바닥에 주저앉아버리는 등 누가 봐도 발현자인 사람들이었다.

여전히 자리에 앉아서 난장판이 되어가는 휴게소 실내를 구경하던 수아를 손가락으로 툭 건드리는 시혁은 수아의 손을 잡았다. 그리고 수아의 손바닥을 자신의 손으로 덮으며 뭔가를 수아의 손바닥 위에 올려놓았다. 다른 손은 검지를 입술에 가져다 대며 조용히 확인해 보라는 제스처를 취해 보였다. 수아의 손에는 눈을 감고 있는 표정의 노란 이모티콘이 그려진 배지 2 개가 올려져 있었다.

시혁은 주변이 어수선한 틈에 수아의 왼쪽 위에 배지를 달아주고, 자신의 옷에도 배지를 달았다. 그리고 그대로 출입구를 지날 때 배지를 가리키며 최성진 조장과 담당관을 그대로 통과했다.

시혁과 수아는 곧장 회색 승용차까지 걸어가 좌석에 앉았다. 수아가 시혁을 말없이 계속 쳐다보자, 시혁이 먼저 말을 꺼냈다.

"아까 아주머니가 검문하는 사람들한테 돌진했을 때 그중에 한 명이 배지를 막 흘렸잖아. 그때 마침 2 개가 내

앞으로 떨어져서 발로 숨기고 있다가 주웠어."

"그냥 떳떳하게 검사받고 가도 되잖아."

"혹시나 검사 결과가 잘못 나올 수도 있을 거 같아서 그랬지. 면역이 있는 사람이 어떻게 결과가 나오는지 모르니까. 그리고 식당 안에 위험해 보이는 사람들 때문에 오래 기다리다가는 다칠 가능성도 있었고."

수아는 오른손 검지를 들어 올린 채 무언가 말을 하려다 말고 내려놓았다. 그리고 다시 좌석에 편하게 기대며 말했다.

"흠, 알겠어. 그나저나 이렇게 많은 사람이 잠을 못 잔 채 도로로 올라오는지 몰랐어. 아빠는 알고 있었어?"

"어느 정도는 알고 있었는데, 이 정도일 줄은 몰랐네. 다들 시설에서 마지막을 보내는 것보다는 더 가치 있는 마지막을 자신의 방식대로 보내고 싶어 하겠지. 이제는 차가 좀 덜 막혔으면 좋겠다. 빨리 가자."

그렇게 자동차는 휴게소를 빠져나갔다. 브레이크에서 발을 뗄 때는 빈도가 점심 전보다는 잦아졌지만, 여전히 도로 상황은 답답하기 그지없었다.

22

해가 지기 전 아슬아슬하게 상주 고속도로 톨게이트를 통과한 것은 그나마 다행이었다. 상주에 있는 인터넷 기지국은 죄다 고장이 나버렸는지 그 어디에서도 시혁의 휴대전화에서는 인터넷이 연결되지 않았다. 결국 시혁과 수아는 지나가는 동네 주민에게 물어물어 어느 허름한 무인 텔에서 하루 묵기로 하였다.

무인텔 1층에 주차를 마치고, 수아와 시혁은 무인텔의 현관문을 열고 들어갔다. 건물 복도는 숙박시설 복도치고는 너무나도 조용했다. 시혁이 벽에 붙어있는 터치스크린을 통해 방을 선택하려고 하자 복도가 조용한 이유를 알 수 있었다. 나란히 빨간 불로 표시된 단 두 곳을 제외하고는 모든 방이 공실이었다. 수아가 스크린을 보고 한마디 했다.

"이야, 이 넓은 건물에 거의 우리 둘만 있는 거나 다름없는 거네. 그렇지?"

"아마 관리하시는 분도 건물 어딘가에 있을 거야. 무인텔이라도 누군가는 방 청소도 하고 관리도 해야 하니까. 그래도 우리가 부르지 않으면 볼 일은 없을 것 같긴 해."

시혁은 사용 불가능한 방과 최대한 먼 곳에 있는 방을 선택하고, 카드를 넣어 결제를 완료했다. 그러자 화면에는 방 번호와 비밀번호가 나타났다. 시혁은 번호를 메모 앱에 입력하고 계단을 올라갔다.

2층에 도착하니, 문 앞에 작은 무인 단말기가 있었다. 메모 앱을 켜려던 시혁을 제쳐두고 수아가 먼저 비밀번호를 입력하고 문을 열며 말했다.

"비밀번호 몇 자리 안 되는 데 이 정도는 외워야지."

시혁과 수아가 방 안으로 들어가자마자 문은 쿵 소리와 함께 자동으로 잠겼다. 들고 온 여행 가방을 놓고 주변을 둘러보는 시혁은 바로 소파에 달려가 털썩 앉는 수아의 모습을 보고 잠시 옆에 같이 앉아서 쉬기로 했다.

방 내부에는 저렴한 가격치고는 침대, 책상, 의자, TV, 냉장고, 전자레인지 등 필요한 가구와 가전제품이 모두 갖춰져 있었다. 벽지와 커튼은 연한 색으로 통일되어 있어 포근한 느낌을 주었다. 욕실도 나름 깔끔하게 정돈되어 있었다. 수건과 샴푸, 물비누, 치약과 같은 기본적인 비품도 준비되어 있었다.

시혁은 자기 팔에 머리를 기댄 채 아무 생각 없이 다리를 번갈아서 까딱까딱 흔드는 수아에게 물었다.

"방 어떤 거 같아? 좋지?"

수아는 살며시 눈을 감은 채 대답했다.

"좋네. 깔끔해서 그런지......."

창문이 덜덜덜 떨리면서 귀에 상당히 거슬리는 톤의 사이렌 소리가 바깥에서 들려와 수아의 대답이 제대로 들리지 않았다. 사이렌 소리가 줄어들자 시혁이 말했다.

"다 좋은데 방음은 전혀 안 되네. 창문이 덜 닫힌 건가? 안 되면 커튼이라도 쳐야겠다. 먼저 씻을래?"

"아니, 조금만 더 이러고 있다가 씻을래."

시혁은 수아의 머리를 두 손으로 받쳐 들어 올려 소파 등받이에다가 머리를 기대게 했다. 그러고는 자리에서 일어나 창문 손잡이를 당겨 확인해 보고는 커튼을 치고 바로 화장실로 들어갔다. 잠시 후 샤워기 물줄기 소리가 바깥으로 새어 나오기 시작했다.

수아는 팔을 뻗어 소파 옆 간이탁자 위에 있는 TV 리모컨을 집어 전원을 켰다. 마침 영화 채널에는 마녀 고슴도치와 코끼리, 그리고 분홍 머리 고양이가 나오는 만화 영화가 나오고 있었다. 정신없이 만화를 보던 수아는 다시 한번 들리는 바깥 소음 때문에 소리가 잘 들리지 않자, TV 음량을 키우고 다시 만화에 집중했다. 한참 후 시혁이 목욕을 마치고 옷을 갈아입고 나오면서 거의 TV 속으로 빨려 들어갈 듯한 수아에게 한마디 했다.

"수아야, TV 소리 너무 큰 거 같아. 화장실에서도 들리더라. 조금만 줄이자. 다른 손님들 쓰는 방까지 들리겠어."

"바깥 소음 때문에 잘 안 들려서 잠깐 키웠어. 어차피 지금 우리 말고 이 건물에 있는 다른 사람들은 전부 저 멀리 있는 다른 방에 있잖아."

"지금 여기서 계속 들으니까 귀가 아픈 거 같아. 나중에 잘 때 방해되지 않게 낮춰."

"알겠어. 대신 이거 30분만 더 봐도 돼? 30분 정도 남았어."

"샤워하고 나서 봐. 이거 집에서도 몇 번이나 봤잖아. 너무 후다닥 씻지 말고 깨끗하게 씻어."

시혁은 투덜거리며 화장실로 들어가는 수아를 확인하고는 소파에 앉아 뉴스 채널로 돌리고 서둘러 음량을 낮춘다. 시혁은 화면 속 아나운서가 내일 날씨를 거의 속삭이듯 말하는 모습을 넋이 나간 표정으로 바라봤다.

그렇게 아무 생각 없는 표정으로 넋 놓으며 TV를 본 지 얼마 지나지 않아 시혁은 현관문 바깥에서 들려오는 일정하고도 둔탁한 소리를 인지하게 되었다. 시혁은 TV 소리를 음소거 시키고 시선을 현관문으로 돌렸다.

'쿵, 쿵, 쿵. 터벅. 터벅. 터벅. 터벅. 터벅. 터벅. 터벅.'

자세히 들어보니 발걸음 소리와 문을 두드리는 소리 같았다. 점차 소리가 커지는 걸로 보아 가까워지는 듯했다.

그때 수아가 화장실에서 나오는 걸 본 시혁은 검지를 자기 입술 위에 세워 수아에게 조용히 하라는 손짓을 취했다. 수아가 과장된 손짓과 함께 조용히 수혁에게 물었다.

"왜? 무슨 일 있어?"

시혁도 마찬가지로 거의 속삭이듯 대답했다.

"바깥에 지금 어떤 사람이 방문을 두들겨보면서 지나가고 있어."

"여기에서 일하는 사람 아니야?"

"아니, 잘 들어봐."

수아와 시혁은 숨죽인 채 다시 바깥에서 나는 소리에 귀를 기울였다.

'쿵, 쿵, 쿵. 터벅. 터벅. 터벅. 터벅. 터벅. 터벅. 터벅. 쿵, 쿵, 쿵. 터벅. 터벅. 터벅. 터벅. 터벅. 터벅. 터벅.'

"잘 모르겠어. 방마다 다 두들겨 보는 건가?"

여전히 들릴락 말락 하는 목소리로 수아가 말했다. 시혁은 방 내부에서 걸어 잠글 수 있는 문 걸쇠가 지금 잠겨있지 않은 걸 쳐다보며 말했다.

"아까 봤을 때 이 층에는 복도 끝에 숙박하는 두 팀이랑 우리 말고는 없었잖아. 복도에 있는 키오스크에 지금 사용하고 있는 방이 다 확인이 되는데 굳이 모든 방을 다 두들겨보고 있는 게 이상하지 않아? 혹시나 모르니까 문 안에서 잠그고 싶은데 소리가 날까 봐 못 가겠네."

"에이 아빠, 너무 예민한 거 아니야? 그리고 문 두드리는 소리 아닐 수도 있잖아. 피곤한 가 보네. 일찍 자 아빠."

"피곤하긴 해. 좀 일찍 자야겠다. 잠시 가방에서 귀마개랑 안대 좀 꺼내고."

소파에서 일어나 가방을 뒤지는 시혁. 그때 누군가가 문을 세게 세 번 두드렸다. 일순간 조용해지는 방안. 아무 반응을 하지 않자 옆 숙소로 가서 또 노크하는 듯했다. 시혁이 수아에게 조용히 말했다.

"아빠 말이 맞지? 자기 전에 여기 관리하시는 분에게 전화 한번 해봐야겠다. TV 옆에 전화기로 전화하면 아마 연결될 거야."

TV 옆에 놓인 전화기로 다가가는 시혁. 전화기 앞에는 번호별 간단한 안내 사항이 부착되어 있었다. 수화기를 들고 0번을 누르자 곧 어떤 남성이 전화를 받았다.

- 여보세요.

"네, 무인텔 숙박하고 있는 사람인데요. 혹시 지금 밖에 공사 작업 같은 게 있나요?"

- 공사 작업이요? 아니요. 무엇 때문에 그러시는데요?

"지금 복도에 누가 방마다 문을 두들겨보는 거 같은데 직원분인가 해서요."

- 아니요. 저희는 손님들이 있는 시간에는 청소나 방 정리를 따로 하지는 않습니다.

"그럼 건물 안에 관리하시는 분은 없나요? 아니면 복도 CCTV 라도 확인해 주시면 안 될까요?"

- 저는 한 30분 전에 건물 나와서 지금 돌아가기는 힘들고 복도 CCTV 는 얼마 전부터 고장이 나서 확인이 힘듭니다. 그래도 별 이상 없을 겁니다.

"네, 알겠습니다."

어딘가 불친절한 태도에 표정이 살짝 안 좋아지는 시혁

은 전화를 끊고 한숨을 푹 쉬었다. 그리고 수아에게 말했다.

"아무래도 모텔 직원은 아닌 거 같네. 일단 문을 뚫고 들어오지는 못할 거니까 내일 아침에 모텔 관리하는 사람을 부르든지 경찰을 부르든지 해서 나가자."

또다시 들리는 노크 소리. 아까보다 더 세게 두드리는 것 같았다. 노크 소리가 더는 들리지 않자 수아가 말했다.

"음, 알겠어. 아빠. 이제 신경 쓰지 말고 자자."

"그래. 이제 진짜 불 끄고 자자."

시혁이 벽에 있는 전등 스위치를 끄자, 방 안을 밝히던 전등이 꺼지고 어두워졌다. 그러자 전등 스위치 테두리에서 은은하게 흘러나오는 형광 불빛, TV 하단부에서 나오는 점처럼 작고 빨간 조명이 눈에 들어오기 시작했다. 오랜만에 같은 침대에 눕는 수아와 시혁은 모텔 천장을 바라보았다. 그러다 시혁이 안대를 쓰고 귀마개를 쓰려고 할 때 수아가 말했다.

"아빠, 내일은 서울까지 갈 수 있을까?"

귀마개를 오른손에 다시 움켜쥐는 시혁은 잠시 고민하더니 대답했다.

"글쎄, 오늘처럼 차가 많이 막히면 못 갈 거 같은 데, 또 모르지. 내일은 차가 안 막히기를 빌면서 자자."

"아빠는 계속 내 옆에 있어 줄 거지? 뉴스에서 나오는 그 사람들처럼 되지 않을 거지?"

"당연하지. 약속할게."

수아는 몸을 뒤척이다가 돌아누웠다. 시혁도 손에 쥐었던 귀마개를 착용하고 곧 잠이 들었다.

'깡!'

얼마 지나지 않아 갑자기 현관문에서 쇠와 쇠가 크게 부딪히는 소리가 들려왔다. 현관문에 걸려있는 내부 잠금 장치와 연결된 얇은 쇠사슬이 파르르 떨려왔다. 수아는 눈을 떴지만, 시혁은 아직 자는 듯했다. 자기 전 들었던 노크 소리와 비교해 보면 확실히 손이나 팔로 노크하는 소리는 아니었다. 수아는 시혁을 깨우려다 말고 일단 다시 눈을 감았다.

'깡! 어으으으.......'

두 번째로 들려온 쇠와 쇠가 부딪히는 소리 뒤에는 앓는 소리가 딸려 왔다. 수아는 자리에서 일어나 목청을 가다듬었다. 한 번 목소리를 최대한 낮게 깔아보고는 그대로 현관으로 걸어갔다. 그리고는 숨을 크게 들이쉬고 말하려는 찰나 시혁이 침대에서 뛰어나가 수아를 붙잡았다. 안대를 여전히 이마 위에 올려놓은 상태로 시혁이 수아에게 조용히 말했다.

"지금 뭐 하려는 거야, 수아야. 여기 철문 보기보다 꽤 두꺼워서 뭔 짓을 해도 못 뚫을 거야. 왜 굳이 뭐라고 하려고 그래."

"순간적으로 너무 화나서 그랬어. 그리고 어차피 못 들어올 거 같으면 한소리 해도 되지 않아?"

"괜히 도발하지 말자. 저러다 금방 힘 빠지겠지."

"알겠어. 잠은 잘 수 있지?"

"나는 저 소리 때문에 깬 게 아니라 네가 자리에서 일어나서 깼어. 걱정하지 말고 자자."

터벅터벅 다시 침대로 돌아가는 시혁과 시혁의 눈치를

보며 뒤따라가는 수아.

'깡!'

세 번째로 둔탁한 소리가 들리자, 수아는 침대로 올라가기 전 갑자기 뒤돌아서 현관으로 달려가 소리쳤다.

"가서 잠이나 자라 이놈아. 아, 너 잠 못 자지? 하는 짓 보니까 딱 그렇게 보여. 난 자러 간다!"

그리고 다시 후다닥 침대로 달려오는 수아를 시혁이 황당하다는 표정으로 바라봤다. 수아가 침대에 누워 다리를 쫙 펴면서 말했다.

"꼭 말해야 시원할 거 같아서 말해버렸어. 이제 정말 조용히 잘게. 잘 자."

어이없어하는 시혁은 무언가 말을 하려 하다가 말고 수아 옆에 누워서 다시 잠을 청했다. 효과가 있었는지 더는 현관문에서 어떠한 소리도 나지 않았다. 수아는 옅은 미소를 띠며 눈을 감았다.

23

'쾅!'

수아가 현관문에 대고 소리친 지 얼마 지나지 않아 이번에는 침대 머리와 맞닿은 벽에서 큰 소리가 났다. 잠이 들기도 전에 벽에서 들려오는 소음 때문에 다시 눈을 뜬 수아는 침대에서 조심스레 일어났다.

'쾅!'

두 번째 충격은 벽을 타고 온 방 안에 전달되는 듯했다.

이번 충격에 깜짝 놀란 시혁이 자리에서 일어나 조명 스위치를 켰다. 수아가 침대 머리맡 앞 벽에 자그마한 금이 가 있는 것을 가리키며 불안한 듯 떨리는 목소리로 말했다.

"아빠, 이거 원래 이랬었어? 여기 봐봐."

'쾅!'

소리가 날 때마다 벽이 점차 갈라지는 게 보였다. 시혁은 일단 가방으로 달려가 호신봉을 꺼내 들고는 금이 가고 있는 벽에다 대고 말했다.

"저기, 방금은 죄송했습니다. 저희 딸아이가 무례했네요. 제가 교육을 잘해야 했는데 죄송합니다. 다시는 이런 일 없게 하겠습니다."

시혁의 말을 못 들은 건지 대답할 생각이 없는 건지 아무 대답 없이 또 한 번 벽을 내리치는 소리가 났다. 시혁이 수아에게 눈치를 주자 두려움에 덜덜 떨고 있는 수아가 간신히 말했다.

"정... 정말 죄... 죄송합니다. 한 번만 좋게 넘어가 주시면 안 될까요?"

'쾅!'

빨간 피와 벽면 파편이 묻어있는 남자 주먹 2 개 정도 되는 망치 머리가 벽을 뚫고 방에 들어왔다 나갔다. 벽에 생긴 틈 사이로 벽 반대편에서 같은 말만을 중얼거리는 남성의 목소리가 들려왔다.

"억울해. 부수자. 깨워줘. 진드기. 에어으....... 억울해. 부수자. 깨워줘. 진드기. 애어으......."

"안 되겠다. 이리로 들어오기 전에 차까지 뛰어서 도망

치자. 저쪽도 옆 방에 있으니까 몰래 나가면 먼저 빠져나
갈 수 있을 거야. 빨리 이리로 와."

벽 너머에서 들리지 않도록 시혁은 뒤꿈치를 든 채 최
대한 소리를 내지 않으며 문쪽으로 뛰어갔다. 시혁은 수
아가 뒤따라오는 걸 확인하고 문고리를 힘껏 잡아당겼다.
하지만 덜컥거리는 소리만 나고 문은 꿈쩍도 하지 않았다.
당황한 시혁이 이번엔 문을 밀어보지만 마찬가지였다. 수
아도 시혁을 도와 다시 문을 당겨보지만 헛수고였다. 급
해진 시혁이 덜컹덜컹 소리가 나도록 문고리를 잡고 흔들
며 말했다.

"방금 바깥에서 문을 내리친 것 때문에 문이 조금 뒤틀
려서 꼈나 봐."

시혁과 수아가 문을 열려고 시도하는 동안 들리지 않던
망치 소리가 다시 들리기 시작했다. 시혁의 가슴 위치쯤
에 난 구멍은 어느덧 볼링공 정도의 크기로 커져 있었고,
지저분한 수염과 너덜너덜해진 체크무늬 난방이 구멍 너
머로 보였다.

일단 시혁은 구멍이 난 벽에 딱 붙어서 기다리기로 했
다. 스마트워치를 힐끔거리며 쳐다보던 시혁은 수아가 시
혁의 뒤에 바짝 붙으려 하자 호신봉으로 베란다 창문 쪽
을 가리켰다. 너무 가까이 있으면 혹시 모를 싸움에 불상
사가 생길 수도 있으니 거리를 둬서 수아를 보호하고자
하는 듯했다. 수아는 얌전히 시혁의 지시대로 베란다로
향했다.

'쾅!'

방금 들린 마지막 한 방으로 구멍은 어느새 성인 남성

하나가 쉽게 드나들 정도로 커졌다. 바닥은 온통 벽 파편과 먼지투성이로 변했다. 시혁은 심장이 미칠 듯이 뛰는 듯했지만 최대한 숨죽여 기회를 노렸다. 어쩌면 마지막이 될지도 모를 기회를 시혁은 반드시 잡아야만 했다.

"억울해. 부수자. 깨워줘. 진드기. 에어으....... "

발현자의 알 수 없는 말은 계속 같은 위치에서 들려왔다. 망치질은 더는 계속되지 않았다. 바닥과 쇠가 부딪히는 소리가 크게 들린 이후 더 진전은 없었다. 그래도 시혁은 하염없이 기다리는 수밖에 없었다.

그러다 결국 발현자가 드디어 뚫린 곳을 향해 한 걸음 한 걸음 내딛기 시작했다. 시혁의 시야에는 보이지 않았지만, 소리로 분명히 알 수 있었다. 곧 머리카락이 듬성듬성 나 있고 피부가 거의 녹아내린 듯한 발현자의 불쾌한 얼굴이 벽이 부서진 곳을 지나 시혁이 있는 곳으로 존재를 드러냈다.

시혁은 오른손으로 호신봉을 있는 힘껏 쥐며 들어 올렸다. 발현자가 한 걸음 더 내디뎌 상체까지 벽을 넘어오자 시혁은 발현자의 머리를 조준하여 두어 번 내리쳤다. 머리를 얻어맞은 충격에 손에 들고 있던 오함마를 떨어뜨린 발현자는 곧장 시혁에게 달려들었다. 온몸이 성한 곳이 없어 보이고 초점은 없어진 지 오래되어 보이는 발현자는 양손으로 시혁의 양 팔목을 각각 잡고 뒤쪽으로 서서히 밀어붙였다.

"머리도 두 번이나 세게 때렸고 잠도 며칠 동안이나 못 잤을 텐데 힘은 왜 이리 센 거야."

수아는 시혁과 발현자의 싸움에 휘말리지 않게 반대방

향으로 자리를 옮겼다. 그 사이 시혁은 베란다 창문 옆 구석 벽까지 밀리게 되었다. 어떻게든 빠져나가 보려고 발악해보는 시혁은 벽에 몸을 기댄 채 다리로 발현자를 힘껏 찼지만, 꿈쩍도 하지 않았다. 발현자의 악력 때문에 들고 있는 호신봉도 떨어트렸다.

"좀 죽어라!"

시혁은 추진력을 얻기 위해 소리를 지르며 발로 뒤에 있는 벽을 걷어찼다. 그리고 그대로 앞으로 돌진하며 이마로 발현자의 안면에 정통으로 들이박았다. 코에서 피를 쏟아낸 채 휘청하며 뒤로 쓰러지려는 발현자는 아직도 시혁의 팔목을 놓지 않고 있었다. 바닥과 두 사람의 옷은 방금 발현자의 코에서 뿜어져 나온 피로 흥건해졌다. 그대로 같이 쓰러지지 않기 위해 억지로 다리를 벌려 버티던 시혁 덕분에 오히려 발현자도 바닥에 넘어지지 않았다.

가까스로 버틴 발현자는 시혁을 노려보았다. 초점이 나가버린 눈으로 실제로 노려보았는지는 알 수 없지만 그렇게 보였다. 발현자는 고개를 들고 그대로 똑같이 시혁의 안면을 머리로 들이박아 버렸다. 시혁도 코뼈가 부러졌는지 쑥 들어가 버린 코에서 코피가 쉴 새 없이 뿜어져 나왔다. 시혁은 안면에서 느껴지는 엄청난 고통 때문에 한번 더 고개를 최대한 뒤로 젖힌 후 다시 한번 박치기하려는 발현자를 피하려는 정신조차 없어 보였다.

그러다 갑자기 발현자는 사시나무 떨리듯 몸을 떨더니 괴성을 지르며 쓰러졌다. 쓰러지면서도 시혁의 팔목을 놓지 않고 오히려 더 세게 꽉 잡아 시혁도 같이 쓰러졌다. 바닥에 넘어지면서 받은 충격 때문인지 발현자가 시혁의 팔을 놓쳐 시혁은 겨우 빠져나올 수 있었다. 수아는 서둘러 화장실에서 휴지를 한가득 풀어 시혁에게 가져다주며 말했다.

"아빠, 괜찮아? 피가 계속 나는데. 코 모양도 이상해졌어."

"괜찮아. 하나도 안 아파. 피는 금방 멈추겠지. 수아 너는 다친 곳 없어?"

시혁은 휴지를 받아 일부는 주머니에 넣고 일부는 코에 가져다 댔다. 휴지는 금방 붉게 물들었다.

"딸아이는 문제없을 겁니다. 바닥에 쓰러진 발현자도 당분간은 못 일어날 겁니다. 지금 문제는 당신입니다."

발현자가 부순 벽을 넘어들어온 건 혁수였다. 혁수의 오른손에는 테이저건이 들려있으나 시혁을 조준하고 있지는 않았다. 시혁은 바닥에 떨어져 있는 호신봉을 힐끗 쳐다보며 말했다.

"누구세요? 여긴 어떻게 알고 오셨죠?"

"저는 두 분을 해치려고 온 게 아닙니다. 그러려면 진작 그럴 수 있었지만, 그러고 싶은 마음은 없습니다. 자야 할 시간 얼마 안 남았지 않습니까? 지금 그 상태로는 자기 힘들 테니 따라와 주시면 도와드리면서 설명하겠습니다."

다 젖어서 이제는 피를 빨아들이지 못하는 휴지를 바닥에 버리고 새 휴지를 코 아래에 가져다 대는 시혁. 시혁은 스마트워치를 한 번 확인하고는 한숨을 푹 쉬고 말없이 고개를 끄덕였다. 수아는 조용히 호신봉을 주워 테이저건을 쥐고 있는 혁수의 오른손을 노려 휘둘렀다. 그러나 최소한의 움직임으로 간단히 피해버리는 혁수는 호신봉을 뺏고 수아와 눈높이를 맞추기 위해 고개를 숙인 후 인자해 보이는 미소를 지어 보였다. 하지만 산전수전 다 겪은 혁수의 험악한 얼굴에서 어린아이를 달래기 위한 표정을 짓기는 역부족으로 보였다. 그래도 혁수는 웃으며 말했다.

"아빠가 많이 다쳤는데 빨리 치료해야 자지 않겠습니까? 우리 꼬마 숙녀도 자야 할 시간입니다."

"알겠습니다. 갈 거니까 우리 애는 건드리지 마세요."

"말씀드렸지 않습니까. 해치려고 온 게 아닙니다. 이 방은 저희가 나중에 뒤처리할 거니까 걱정하지 말고 일단 따라오십시오."

혁수는 무인텔 계단을 타고 바로 위층으로 올라갔다. 혁수와 그 뒤를 따르는 시혁, 수아는 2층보다도 더 조용한 복도를 걸어갔다. 곧 혁수는 304호 문 앞에 멈춰서 노크를 했다.

"들어가겠습니다."

안에서는 아무 반응도 없었지만 문을 열고 들어가는 혁수. 방 안에는 간이 탁자에 노트북을 올려둔 채 편한 복장으로 소파에 앉아서 TV를 보며 감자 칩을 먹고 있던 혜리와, 검은 정장을 빼입은 남성 2명이 서 있었다. 혁수가 눈치를 주자 정장을 입은 남성들은 문밖으로 나갔다. 혜리는 시선을 TV에 고정한 채 말했다.

"잘 데리고 오셨네요. 아저씨. 수고하셨어요."

"일단 아버지 쪽이 부상이 있어서 치료가 필요합니다."

고개를 살짝 돌려 시혁과 수아를 훑어보는 혜리는 다시

TV를 보며 말했다.

"에이, 저 정도는 괜찮아요. 뼈 부러진 건 지금 당장 어떻게 할 수는 없고, 저기 가방에 내가 비염 증상이 심해질 때 뿌리는 약 있는데 그거 뿌리면 피는 금방 멈출 거예요. 남색 뚜껑이에요."

옆에 있던 리모컨으로 구석에 있는 빨간 가방을 가리키는 혜리. 혁수는 가방 안에서 비염치료제를 꺼내 시혁에게 포물선을 그리도록 살살 던졌다. 얼떨결에 양손으로 받은 시혁은 망설이다가 양쪽 콧구멍에 한 번씩 뿌렸다. 혜리는 TV를 끄고 소파에서 일어나 시혁 방향으로 바라보며 소파 팔걸이 부분에 다시 앉았다. 초조한 듯 자꾸 스마트 워치를 쳐다보는 시혁을 지켜보던 혜리가 시혁에게 싱긋 웃어 보이며 물었다.

"음, 얼마 안 남았나 보네요. 그렇죠? 용건만 빨리 말할까요? 딸아이는 그렇게 안 급해 보이는데."

"네, 30분도 안 남았습니다. 급하게 나오느라 수면제도 못 챙기고 나왔는데 오늘은 일단 보내주시고 내일 이야기하면 안 될까요? 원하시는 건 뭐든지 들어 드리겠습니다. 부탁합니다."

"얼마 안 걸릴 거니까 들어보세요. 끝나면 난장판이 된 아래층으로 가지 말고 그냥 여기 건넛방에서 묵게 해줄게요. 수면제는 효과 죽이는 걸로 가지고 있으니까 제시간에 자는 데는 문제 없어요. 단도직입적으로 물어볼게요. 딸은 면역자죠? 혹시 아버님은?"

서로 눈치를 볼 뿐 아무 말을 하지 않는 시혁과 수아. 혜리는 아랑곳하지 않고 계속 말했다.

"반응을 보니 제가 생각한 게 어느 정도 맞나 보네요. 걱정하지 마세요. 저도 면역자거든요. 저와 같이 다니는 다른 사람들은 아니지만. 지금 따님이 면역자이라는 사실을 아는 사람들이 꽤 있는데, 대부분은 따님을 상당히 험하게 다룰 겁니다. 혹시 지금 가시는 곳이 있나요?"

"서울로 갈 겁니다."

시혁이 머뭇거리다 대답했다. 혜리는 처음 듣는 척 흥미롭다는 듯 말했다.

"서울요? 어머 잘 됐네요. 저희도 마침 서울로 데리고 가려고 했는데 말이에요. 시작이 좋네요. 혹시 서울 어디로?"

"그게 중요한가요? 저희가 가는 곳이?"

"흠, 중요할 수도 아닐 수도 있겠죠? 지금 당장 말하고 싶지 않아도 상관없어요. 어차피 내일부턴 내 차로 같이 갈 거니까 가면서 천천히 대화를 나눠봐도 좋겠죠? 자 받아요."

혜리가 시혁에게 던진 건 PTP 포장이 되어있는 초록색 알약 6 정이었다. 시혁은 약을 받으려 했으나 아직 방금 싸움의 후유증인지 놓치고 말았다. 바닥에 떨어진 약을 줍는 시혁이 물었다.

"그냥 제가 들고 온 수면제 먹고 자면 안 될까요?"

"그거 효과 좋아요. 한 알만 먹으면 진짜 5 분도 안 돼서 8 시간은 푹 잘 수 있죠. 일단 내일 이야기하는 걸로 하고 건넛방으로 가봐요. 도망가도 다 아는 방법이 있으니까 몰래 나갈 생각은 하지 말고."

혜리가 손짓을 하자 혁수가 둘을 건넛방으로 안내했다.

수아와 시혁은 힘없이 터덜터덜 혁수의 안내대로 방을 나 갔다. 잠시 후 혁수가 방으로 들어와 껌을 씹고 있던 혜 리에게 말했다.

"갈아입을 옷도 주고 약을 삼키는 것까지 확인하고 왔 습니다. 남은 약은 회수했습니다."

"딸아이 아빠 어떻게 생각하세요?"

"어떤 점에서 말인지......."

"좀 이용가치가 있어 보이나요?"

"적어도 딸을 지키기 위해서는 무엇이든 할 것 같습니 다. 싸움 실력은 별로지만 쓸모는 있을 것 같습니다."

혜리는 분홍색 풍선껌을 후 불어서 터뜨리고, 풍선껌 포장지에 껌을 뱉어서 뭉치며 말했다.

"그거면 충분하죠. 다행이네요."

24

"굿 모닝. 벌써 아침이네요. 빨리 가야 차가 덜 막힐 거 니까 준비 빨리해야죠. 서울 쪽으로 올라갈수록 힘들어질 거예요."

시혁과 수아가 정신없이 자고 있던 무인텔 문을 열며 혜리가 들어와 활기찬 목소리로 말했다. 뒤이어 혁수도 따라 들어왔다. 시혁은 약기운 때문인지 아직 잠에서 깨 어나지 못하고 있었다. 수아는 기지개를 켜고는 혜리 쪽 을 쳐다보며 물었다.

"언니, 언니는 그런데 이름이 뭐예요? 정체가 뭐예요?"

"어제 이름을 얘기 안 했나? 김혜리야. 혜리 언니라고 불러. 너는 정수야 맞지? 원래 숙소에서 있던 물건에서 봤어."

"정체가 뭐냐고요."

수아는 부스스한 머리에 잠이 덜 깬 채 비몽사몽인 듯 보였지만, 그래도 어젯밤 두려움에 덜덜 떨던 모습보다는 나아 보였다. 혜리는 잠시 고민하다가 대답했다.

"정체, 정체, 정체....... 거창한 건 없는데. 그냥 바깥에서 자기 잠재력을 모르는 면역자들을 데리고 자기 잠재력을 깨달은 면역자들이 있는 곳으로 안전하게 데리고 가고 싶어 하는 사람이지. 뭘 생각하고 있는지는 모르겠는데, 언니는 나쁜 사람은 아니야."

"이틀 전 로봇, 언니 짓이죠?"

"로봇? 무슨 로봇? 나는 널 어제 처음 봤어. 이틀 전에 무슨 일이 있었나 보구나. 계속 나를 의심하는 건 좋은데 어떻게 되던 나는 너와 너희 아빠를 내가 가는 목적지로 데리고 가야만 하고, 자세히는 아직 말해줄 수 없지만 너에게는 좋은 일이 될 거니까 걱정하지 마. 그리고 내가 무슨 사람이든 어떤 일을 했든 달라질 건 없어. 나와 내 옆에 서 있는 아저씨가 억지로 끌고 가는 것보단 가는 동안 즐겁게 가는 게 훨씬 낫지 않겠니?"

오히려 역으로 쏘아붙이는 혜리의 태도에 더는 아무 말도 하지 않기로 하는 수아. 비대칭적인 대화가 끝나자 잠에서 깬 시혁도 일어나 자세를 고쳐잡고 앉았다. 관자놀이 부위를 엄지로 누르며 주위를 살피며 상황을 파악하던 시혁은 마른세수하다 코를 건드리고는 괴로움에 몸부림쳤다. 겨우 다시 정신을 차리고 침대에서 일어나 혜리에게 물었다.

"언제 출발할 건가요?"

혜리는 손에 차고 있는 시계를 바라보고 대답했다.

"30 분 뒤에 갈 겁니다. 2 층에 있던 짐은 원래 쓰던 차에 넣었고 필요해 보이는 것만 우리 쪽으로 넣었으니까 그렇게 알고 빨리 준비하세요."

혜리는 다시 무인텔 방문을 열고 밖으로 나가버렸다. 혁수는 혜리를 따라가지 않고 그 자리에 그대로 서 있었다. 시혁이 나갈 채비를 하며 아무 말 없이 서 있는 혁수에게 물었다.

"저 여자가 당신 보스예요? 당신 그냥 경호원 같은 건 아닌 거 같은데 아무리 봐도."

"신경 쓰지 말고 빨리 나갑시다. 오늘 갈 길이 멉니다."

준비를 마친 듯한 수아와 시혁은 혁수의 뒤를 따라 무인텔 건물 밖으로 나섰다. 시혁이 1 층에 주차되어있는 본인의 차 쪽을 바라보자 혁수가 시혁에게 열쇠를 건네주며 말했다.

"차 안에 필요한 물건은 대충 챙겼으니까 나중에 일 다 끝나면 다시 와서 타고 가시면 됩니다. 어차피 주차장 꽉 찰 일 없다고 무인텔 주인에게 허락받았으니까 걱정 안 하셔도 됩니다."

아무 말 없이 열쇠를 받아 챙기는 시혁. 셋은 금방 혜리가 타고 있는 회색 SUV 앞에 도착했다. 뒷좌석에 앉아 흘러나오는 노래의 박자에 맞게 휴대전화 화면에 나오는 원을 터치하는 게임을 즐기고 있던 혜리는 혁수가 다가오는 걸 보고 게임을 잠시 멈추고 차에서 내렸다. 그리고 수아와 시혁을 보며 말했다.

"자, 자. 아직 우리 사이가 조금 어색하죠? 각자 다른 생각 하는 것 같기도 하고. 그래도 모두 다 적어도 서울까지는 안전하게 가기를 원하니까 좀 긴장도 풀면서 가죠. 목캔디 하나씩 할래요?"

"괜찮습니다."

시혁은 고개를 가로저으며 말했다.

"전 먹을래요."

수아는 얼른 한 알 받아서 입에 넣고는 목 안에 퍼지는 시원한 느낌을 즐기려 숨을 크게 들이쉰다. 밖은 더웠지만 목 안은 한겨울 같았다. 시혁이 눈치를 주지만 아랑곳하지 않고 숨을 한 번 더 크게 들이쉰다. 혜리는 목캔디 통 뚜껑을 닫으며 말했다.

"아침에 잠 깰 때 좋은 데, 싫으면 어쩔 수 없죠. 수아는 잘 먹는데. 자 이제 출발해볼까요? 흠, 아무래도 아저씨가 조수석에 타야겠네요. 수아는 나랑 뒷좌석에 앉아서 가자."

각자 자기 자리에 앉는 넷. 뒷자리에 앉은 혜리는 수아의 눈치를 보다가 바지 뒷주머니에서 목걸이를 꺼냈다. 은색 줄에 붉은색 장식이 달린 목걸이였다. 그러고는 수아가 한눈판 사이에 수아의 목에다 목걸이를 채우고 뒤에 달린 검정 밴드로 길이를 조절했다. 워낙 순식간에 일어난 일이어서 수아도, 시혁도 반응할 틈이 없었다.

"자, 이건 언니가 주는 선물이야. 혹시 아빠가 운전하는 데 방해하거나 나쁜 마음을 먹을 수도 있으니까 달아놓는 거야. 어떤 기능이 있는지는 모르는 게 좋을걸? 자 혁수 아저씨 출발!"

변함없이 웃는 얼굴로 말하는 혜리를 무시하고, 수아는 안간힘을 쓰며 목걸이를 풀어보려 목걸이 줄 안으로 양 검지와 중지를 넣어 잡아당겨 보았지만, 꿈쩍도 하지 않았다. 오히려 목걸이를 잡아당기다가 목이 조여서 캑캑거리며 기침을 뱉어냈다. 그 모습을 가만히 지켜보던 혜리가 안타까워했다.

"왜 언니가 주는 선물을 바로 벗으려고 그래. 얌전히 있으면 그냥 예쁜 목걸이니까 걱정하지 마. 칼이나 니퍼 같은 날붙이로는 절대 안 끊어지는 튼튼한 목걸이니까 아무렇게나 다녀도 줄이 끊어져서 잃어버릴 일은 없을 거야."

룸미러에 비친 시혁의 얼굴은 한껏 일그러졌지만 아무 말도 할 수 없었다. 그저 마른 침만을 삼킬 뿐이었다.

혜리와 혁수, 수아와 시혁을 태운 차량은 황량한 마을을 떠나 어느새 고속도로로 접어들었다. 휴대전화로 조금 전 하고 있던 게임을 마저 즐기던 혜리는 수아가 자신의 휴대전화를 힐끗힐끗 쳐다보고 있는 것을 발견하였다. 노래 한 곡이 끝나자 고개를 돌려 수아에게 물었다.

"수아는 아직 휴대전화가 없니?"

"아빠가 휴대전화는 12살이 되면 사준다고 했어요. 집에서만 쓰는 비상용 전화는 있어요."

"왜? 요즘 같이 험한 세상에선 꼭 필요하지 않나? 나도 네 또래 때쯤부터 썼는데."

혜리는 화면을 한참 보며 게임을 즐길 다음 곡을 고르

며 말했다.

"휴대전화가 집중력, 사회성, 학습 능력 등 어릴 때 발달이 많이 되어야 하는 여러 가지에 얼마나 안 좋은 영향을 미치는데, 그쪽 부모는 안 그랬나 보네요?"

시혁이 앞자리에서 빈정거렸다. 혁수가 옆자리에 앉은 시혁을 향해 주먹을 들어 보이려고 하자 혜리가 말렸다. 그리고 한숨을 쉬며 말했다.

"아저씨, 참아요. 딱 봐도 일부러 저러는 거잖아. 그리고 수아 아버지, 화 좀 풀어요. 그런 태도 때문에 수아에게 목걸이 달아준 거라고요. 오늘도 도로 상황을 보니 멀리 가기는 글렀는데 서로 하고 싶은 이야기나 좀 할까요? 휴대폰도 충전해야 하고. 부모님 얘기가 나왔으니까 나부터 해야겠네요."

잠시 아무 말도 하지 않던 혜리는 곧 생각을 정리했는지 이야기를 시작했다.

"저는 고아로 자랐어요. 그래서 어렸을 때 기억이 잘 나지는 않지만, 한동안 이집 저집에 입양됐었지요. 기억나는 곳 중 하나는 자식이 이미 4명이나 있던 부부가 살던 집이네요. 내가 그 집 아이 중 나이가 젤 많아서 그 집 아이들을 돌보게 됐는데, 너무 힘들어서 상상친구까지 만들었거든요. 거실에 커다란 유리 장식장이 있었는데 안에 예쁜 숲 속 그림이 그려진 동그란 접시가 딱 내 눈높이에 보관되어 있었어요. 그 유리 장식장을 지나갈 때마다 그 접시 위에 비친 내 모습을 보고 평화로운 숲 속에서 행복하게 사는 둘도 없는 내 친구라고 여겼었죠."

무표정으로 전방을 바라보며 운전하고 있는 혁수를 제

외하고는 모두 혜리의 눈치를 보느라 분위기가 가라앉았다. 잠시 숨을 고르던 혜리에게 시혁이 뜸을 들이다 말했다.

"저, 저기. 방금은 그런 뜻으로 말한 건 아니라......."

"너무 미안해하지 마요. 그리고 지금 무거운 이야기를 하려고 하는 게 아니니까 다들 표정 푸시고."

쿡쿡 웃으며 계속 말을 이어나가는 혜리.

"사실 그 어린 나이에 애들을 돌보는 것도 힘들었지만, 가장 힘든 건 그 집 아저씨가 술만 마시면 다른 사람이 된다는 거였어요. 고약한 술 냄새를 풍기며 집에 들어오는 날에는 애들을 데리고 방구석에 숨어있어야 했지요. 아주머니와 점점 언성을 높이다가 꼭 집안에 있는 물건들을 집어 던졌거든요. 그러다가 어느 날에는 평소보다 더 크게 싸우다가 물건이 부서지는 소리가 더 크게 났었죠. 다음 날 아침에 거실에 나가보니 유리 장식장이 엎어져 있었던 거에요."

"그럼 설마."

혜리 옆에 앉아 있던 수아가 혜리의 이야기에 몰입하다가 자기도 모르게 반응했다. 혜리는 계속해서 이야기를 진행했다.

"다행히도 네가 걱정했던, 그리고 그 당시 내가 걱정했던 그런 일은 일어나지 않았어. 엎어져 있던 장식장을 겨우 세우고 엎어져 있던 여러 물건 사이에서 뒤집어져 있는 접시를 발견했는데, 장식장 문은 산산조각이 났지만 어떻게 된 건지 접시는 약간의 금도 가지 않았어. 나는 접시가 멀쩡한 걸 알고 나서야 내 손에서 피가 철철 나고 있었단 사실을 알게 되었지. 그래도 울지는 않았었어. 병원에 가서 치료할 때도 말이야."

혜리는 그때의 고통이 생각난 건지 자신의 왼손을 오른손으로 부여잡았다. 그리고 뒷좌석 창문을 내려 바깥 공기를 쐬면서 바깥을 쳐다보다가, 오른손으로 한 번 왼손을 쓸어내린 후 말했다.

"얼마 지나지 않아 아저씨는 기차사고 때문에 돌아가셨고 그 뒤로 할머니가 그 집을 돌보면서 자연스럽게 나는 또다시 버려졌지요. 그렇게 이리저리 돌다가 희망촌 고아원이라는 곳에서 지냈지요. 그리고 거기서 4달 정도 지내다가 진짜보다 더 진짜 같은 가족을 만나게 된 거에요. 처음에는 남자아이를 원했다고 했는데 고아원에 여자아이로 잘못 전달되어서 제가 가게 되었지만, 결국 저희 부모님은 저를 입양해주셨지요."

"졸음 쉼터 도착했습니다. 20분만 쉬다 가겠습니다. 혹시 시간이 조금 더 필요합니까?"

어느새 고속도로 중간에 있는 졸음 쉼터에 도착해있었다. 혁수가 차를 주차하고 룸미러로 혜리를 보며 물어보았다.

"아니요. 20분이면 충분하죠. 운전하느라 고생하셨어요. 다음 쉬는 곳까진 내가 할게요. 다음부터는 고속도로 자율주행 되는 차로 들고올 걸 그랬나."

"괜찮습니다. 오히려 이렇게 해야 밤에 자기가 편합니다. 그리고 혹시나 모를 추적 피하려고 구형 차로만 돌아다니는 거니 이 정도는 감수할 수 있습니다."

차에서 먼저 내리는 혁수는 바로 뒤따라온 검은색 차에

서 내린 비슷하게 생긴 두 사람과 이야기를 나누었다. 혜리도 기지개를 피면서 수아와 시혁에게 말했다.

"우리도 20 분 정도 밖에서 바람 좀 쐬도록 하죠. 나랑 같이 안 붙어있어도 되니까 알아서 하세요. 도망갈 생각은 말고. 아시죠?"

혜리는 수아의 목걸이를 잊지 말란 뜻으로 자신의 목을 검지로 툭툭 가리킨 후, 차에서 내렸다. 시혁과 수아도 할 수 없이 차에서 내린다. 수아와 함께 졸음 쉼터 안에 있는 화장실로 가려는 시혁을 수아가 잠시 붙잡았다.

"왜, 아빠 화장실 가야 해. 너도 빨리 갔다 와."

"아빠는 혜리 언니가 한 이야기 어떻게 생각해?"

"불쌍한 과거 이야기를 한다고 속아 넘어가면 안 되지. 우리는 지금 사실상 납치당한 거잖아. 그래도 좀 안 됐기는 했어."

수아는 잠시 주위를 살피더니 시혁에게 귓속말을 하기 위해 잠시 고개를 숙여달라고 부탁했다. 시혁이 고개를 숙이자 수아가 시혁에게 속삭였다.

"혜리 언니가 한 이야기, 순 거짓말이야. 아빠. 빨강 머리 앤 알지? 내 방에 있어. 예전에 한 번 읽어줬잖아. 빨강 머리 앤 어릴 때 이야기와 정말 똑같아."

"그래?"

시혁은 수아에게 귓속말로 답하지는 않고 최대한 목소리를 작게 하여 대답했다.

"그렇다니까. 거의 빼다 박은 수준이야. 틀림없어. 눈도 깜짝 안 하고 저렇게 거짓말을 술술 하는 사람은 처음 봤어. 왜 그랬는지는 모르겠지만 아빠도 알고 있으면 좋을 것 같아서."

"알겠어. 말해줘서 고마워. 이제 웃으면서 이야기 끝내
자. 저쪽에서 우리 쳐다보고 있어. 바로 화장실 갔다가
와."

시혁이 혁수와 일행이 있는 곳을 바라보며 어색하게 웃
어 보였다. 그러고는 다시 일어나서 시혁과 수아는 각자
화장실로 향했다.

25

"다들 충분히 쉬셨나요? 혁수 아저씨는 어때요?"

다시 차 안에서 모인 넷. 혜리가 졸음 쉼터 도착 직전
보다 기운찬 목소리로 말했다.

"네, 그리고 오늘 도로 상황으로 봐서는 충주에서 머물
러야 할 것 같습니다. 숙소는 미리 알아봐 뒀습니다."

"저번처럼 발현자를 마주칠 일은 없었으면 좋겠네요.
충주 상황은 좀 괜찮은가요?"

"상주와 비슷할 겁니다. 문제는 경기도로 들어갈 때부
터입니다."

"그렇긴 하죠. 평균 수면시간은 수도권 비수도권이 큰
차이는 없는데, 지방은 오히려 인구 밀도가 낮아서 발현
자를 마주칠 확률이 적은데 수도권은 다르죠. 대처가 안
돼서 사실상 국가에서 포기해 버린 구역도 있으니까요.
그건 내일 아침에 생각해 보고 일단 출발하죠."

차는 다시 졸음 쉼터를 떠나 도로로 나섰다. 차가 출발

하자마자 하늘에서 빗방울이 한두 방울 떨어지다가 곧 갑작스레 많은 비가 내리기 시작했다. 앞유리에 달린 와이퍼가 열심히 좌우로 흔들리며 전력을 다해 빗방울을 막아내고 있었다.

혜리는 수아와 감자칩을 나눠 먹고 있고, 시혁과 혁수는 에너지바를 먹으며 거의 움직이지 않는 차 안에서 허기를 달래고 있었다. 차 안에서는 와이퍼 소리, 감자칩 먹는 소리, 에너지바 포장지를 만지작거리는 소리가 거슬리는 불협화음을 이루고 있었다. 혜리가 이내 손가락에 묻은 감자칩 부스러기를 물티슈로 닦으면서 이야기했다.

"자, 이제 누가 또 이야기해 볼래요? 수아나 수아 아버지 중 한 명이 이야기하는 걸로 하죠. 답답한 차 안에서 시간도 보내고 서로 잘 알아갈 좋은 기회잖아요."

"제가 할게요. 가족 얘기를 했으니 저도 가족 얘기를 좀 해볼까 해요. 수아 엄마 얘기를 좀 하고 싶네요."

조수석에 앉아 창문 너머로 하염없이 내리는 비를 쳐다보고 있던 시혁이 뭔가를 떠올린 표정으로 고개를 뒤로 돌렸다. 그러다 목이 불편했는지 금방 다시 앞으로 고개를 돌렸다.

"좋아요. 그냥 편하게 정면 보면서 얘기해주셔도 돼요. 목에 담 걸리면 밤에 자기 힘들 거니까."

혜리는 기대하는 표정으로 손뼉을 쳤다. 시혁은 목청을 가다듬고 감정을 잡은 후 이야기를 시작했다.

"수아 엄마 이름은 박지혜에요. 나와 지혜는 어릴 때부터 알고 지낸 친구 사이였지요. 처음부터 친했던 건 아니지만요. 어릴 때 나는 강원도에 있는 할머니 집에서 자랐어요. 강원도 중에도 꽤 촌 동네여서 초등학교 전교생이 50명 남짓 되는 그런 곳이었어요. 어느 날 서울에서 여자 아이가 촌 동네로 전학을 오게 됐었어요. 평소에 우리 같은 촌 동네 아이가 자주 보던 모습과는 다른 아이였지요."

수아는 한쪽 팔꿈치를 차 문에 기대고 턱을 괸 채 아무 말 없이 바깥에 내리는 소나기와 룸미러에 비치는 아빠를 번갈아가며 쳐다봤다. 집중해서 듣고 있던 혜리가 맞장구 쳤다.

"피부도 하얗고 엄청나게 예뻤나 보네요."

"그랬었죠. 촌 동네에 살던 아이들이 입고 있던 꾀죄죄한 옷과는 전혀 다른 분위기의 옷을 입고 햇빛도 한 번 안 쐐본 것처럼 뽀얀 피부를 가지고 있었죠. 전학 온 첫날 자기소개를 하고 마침 비어있던 내 옆자리에 앉았었는데, 그때의 나는 그 여자아이에게 별로 관심이 없었어요. 그래서 옆자리에 앉아 인사를 하는 걸 받아주고 나서 한마디도 하지 않은 채 학교 수업 시간이 끝나버렸죠."

시혁은 헛기침을 한 번 하고 잠시 뜸을 들이다 계속해서 이야기를 덧붙였다.

"방과 후에 학교 친구들과 공놀이를 하다가 집에 돌아가려고 걸어가고 있었는데, 하굣길에 있던 개울 기슭에 지혜가 손을 잠그고는 이리저리 혼자서 물을 튀기면서 놀더라고요. 서울에는 개울물이 없었나? 어쨌든 그렇게 한 며칠 정도 하굣길에서 지혜를 지나쳐서 징검다리를 건너 집으로 갔었죠."

"한 번도 말을 안 걸었어?"

수아가 물었다.

"응, 그때는 그냥 그런가 보다 싶었지. 그러다 하루는 아예 징검다리 한가운데에 앉아 물장난하길래 갈 때까지 아무 말 없이 지켜만 보고 있었어. 그렇게 얼마 지나니까 갑자기 물속에서 뭔가를 집고는 자리에서 벌떡 일어나서 징검다리를 건너갔지. 그러고는 뒤로 돌아서서 나를 향해 하얀 조약돌을 던지면서 뭐라고 했는지 알아?"

"뭐라고 했는데?"

수아가 쿡쿡 웃으며 시혁에게 다시 한번 물었다. 시혁이 대답했다.

"이 바보."

"여자아이, 그러니까 지혜 씨도 이미 마음이 있었나 보네요."

숨죽여 듣고 있던 혜리도 한마디 거들었다.

"그랬죠. 그 순간에는 벙한 얼굴로 지혜를 쳐다봤지만, 그때 이후로 저도 지혜에게 마음이 생겼지요. 더 이전부터 있었지만 그 일을 계기로 용기를 가졌을 수도 있고요. 그 뒤로 며칠 간은 개울가에서 같이 놀다가 어느 날은 제가 산에 같이 가자고 했지요. 산에 펴있는 보라색 도라지 꽃을 꺾어 줬더니 무척 좋아하더라고요. 그렇게 한동안 놀다가 갑자기 비가 쏟아졌어요."

"소나기가 쏟아졌었죠?"

혜리가 갑자기 치고 들어왔다. 당황해서 말을 버벅거리는 시혁의 모습에도 아랑곳하지 않고 혜리는 대신 말을 이어나갔다.

"비를 피해 오두막 같은 곳에 들어갔는데 여자아이의 스웨터를 비롯해서 이미 둘은 홀딱 젖었겠네요. 황순원

작가의 「소나기」 맞죠? 처음 하는 것 같은데도 꽤 잘하시네요."

"네, 맞아요."

시혁은 한숨을 푹 쉬고 인정했다.

"한숨까지 쉴 건 없잖아요. 재밌게 잘 들었어요. 소나기에서는 여자아이가 소나기를 맞고 남자아이에게 업혀서 온 날 이후로 며칠이 지나서 몸이 안 좋아져서 죽었었죠? 마지막으로 입고 있던 옷과 함께 그대로 묻어달라고 했었던 기억이 나네요. 혹시 어떻게 끝내려고 하셨나요? 더 듣고 싶었는데 입이 근질근질해서 참을 수가 없었네요."

"글, 글쎄요....... 한동안 몸이 엄청나게 아팠지만 결국 다 나아서 둘도 없는 친구가 되었다가 결혼까지 했다고 말했을 거 같은데."

차량 창문 밖에서 조금 전까지 내리고 있던 소나기는 어느새 그쳤다. 혜리는 웃으며 수아에게 물었다.

"언니 이야기는 누가 알아챘니? 너지?"

수아가 시혁의 눈치를 보다가 대답했다.

"네, 전에 빨강 머리 앤을 읽어본 적이 있어서 바로 생각이 났어요."

"똑똑하네, 무슨 이유인지는 모르겠는데 갑자기 빨강 머리 앤이 생각나서 오랜만에 말 지어내기 좀 해봤어. 어쨌든 오래간만에 좀 재밌었네요. 수아는 아쉽겠다. 기회를 한 번 줬어야 했나?"

고개를 좌우로 흔드는 수아. 그러자 혜리가 말했다.

"아쉽네, 우리 잠시 좀 머리도 식힐 겸 라디오나 좀 들을까요? 혁수 아저씨, 라디오 좀 틀어주세요."

혁수는 운전석 오른쪽에 있는 화면에서 라디오 아이콘을 눌렀다. 라디오에서는 몽환적인 분위기의 노래가 흘러나오고 있었다. 혜리와 수아는 잠시 눈을 감았고 시혁은 앞으로 나갈 생각이 없는 차들을 하염없이 바라만 보고 있었다. 그러다 룸미러로 혜리가 잠이 든 걸 확인하고 작은 목소리로 혁수에게 물었다.

"저기, 저희 도대체 어디로 가는지 말해줄 수 없는 건가요? 이대로 그냥 서울 도착해서 내보내 주실 수는 없는 거겠지요?"

"그쪽도 어디를 가고 싶은지 말해줄 생각 없지 않습니까? 설사 제가 어디로 간다고 말해도, 혹은 그쪽이 어디를 가고 싶다고 말해도 진실인지 아닌지 의심만 커질 겁니다."

"그럼 적어도 어떻게 수아가 면역자인지 알아서 잡아가는 건지, 잡아가서 뭘 어떻게 하려는 건지도 말해줄 수 없나요? 어차피 지금 당장은 우리 딸을 데리고 도망가지도 못하는데."

"그것도 말해줄 수 없습니다."

혁수는 시혁에게 눈길 한 번 주지 않고 대답했다. 그러자 시혁은 대신 다른 질문을 하기로 했다.

"좋습니다. 그럼 다른 걸 물어볼게요. 그 왼쪽 뺨에 흉터는 어떻게 된 거에요? 그 정도는 말해줄 수 있을 것 같은데."

혁수는 왼손으로 자신의 뺨을 한 번 쓸어내렸다. 그리고 라디오 음량을 조금 줄이며 말했다.

"이건 혜리 님 아버지께서 돌아가시기 전에 생긴 상처

입니다. 저는 혜리 님이나 당신처럼 동화나 소설에서 이야기를 빌려서 지어내지 않고 말하겠습니다. 대신 혜리 님이 다른 사람에게 저나 혜리 님 과거 얘기를 하는 걸 별로 안 좋아하셔서, 중간에 딱 두 번만 사실이 아닌 말을 섞어서 이야기하겠습니다."

"알겠습니다. 그것도 저기 혜리씨가 그렇게 하라고 시키던가요? 별걸 다 시키네요."

"저나 다른 사람이 잘 생각하지 않던 부분까지 생각하던 분이니까 충분히 이해합니다. 혜리 님 아버지, 그러니까 사장님께서는 원래 저를 포함해서 서른 명 정도 되는 조직원들을 이끌던 소위 말해서 두목이셨습니다. 두목보다는 사장님으로 부르는 게 이미지상 더 좋다고 하셔서 사장님이라고 부르기는 하지만."

"두목이라면 조폭 대장 말씀인가요?"

시혁이 물었다. 혁수는 잠시 뜸을 들이다 대답했다.

"예전에는 거의 그쪽에 가까웠는데, 조직이 거의 삼등분 되다시피 와해되고 나서는 또 그렇지는 않습니다. 혜리 님이 이어받으면서 조직의 방향성이 조금 바뀌었으니 말입니다. 어쨌든 그건 나중의 이야기고, 아직 혜리 님이 저기 자는 당신 딸 정도 나이였을 때, 저는 사장님이 가장 신임하던 조직원 중 한 명이었습니다."

혁수는 거짓 정보를 섞기 위해서인지 말을 상당히 신중하게 고르는 듯했다. 시혁은 옆에서 아무 말 없이 가만히 듣고 있었다.

"사장님과 저는 저희와 거래하고 있는 어떤 업체에서 그림 2 점을 받아오기로 되어 있었습니다. 평소 같았으면 저 혼자 가거나, 저와 다른 동료가 갔을 겁니다. 하지만 그림 2점 중 하나가 옛날 교과서에도 실릴 정도로 값어치가 크고 사장님이 개인적으로도 항상 눈독 들이고 있던 그림 중 하나였기 때문에 사장님이 저와 같이 직접 가게 되었습니다."

시혁은 룸미러로 뒷좌석을 흘깃 쳐다보았다. 수아와 혜리는 아직 곤히 자고 있었다. 뒤를 확인하고는 혁수에게 물었다.

"도대체 무슨 그림이길래 그래요?"

"우리나라 화가가 그린 그림이란 거 말곤 저도 잘 모릅니다. 저는 그쪽 분야에는 문외한이라서 별로 관심이 안 갔었습니다. 문제는 만나기로 한 하루 전날, 저희 조직과 영역 다툼을 하던 다른 조직과 업체 사이에 미리 이야기가 오갔을 수도 있다는 정보를 입수했다는 것입니다."

"함정 같은 거일 수도 있겠네요."

"저도 그렇게 생각해서 저 혼자 가겠다고 주장했지만, 사장님은 정보의 출처가 평소 사장님이 그리 탐탁지 않게 여기던 부하였기 때문인지 아니면 그림 때문에 판단력이 흐려진 것인지 꼭 같이 가겠다고 하셨습니다. 그 친구가 용화라는 친구인데 평소에는 느릿느릿하고 말도 가끔 안 듣지만 일 처리는 나름 깔끔하게 잘했기 때문에 믿고 있었습니다."

"그런 사람 회사마다 꼭 한두 명씩 있기 마련이죠. 우리 사무실에도 한 명 있었는데 부장이랑 자주 싸웠거든요. 지금은 뭐 하고 사는지 모르겠네요."

"어찌 됐든 사장님의 말 따라 약속 당일에 저와 사장님은 약속 장소로 갔습니다. 그리고 혹시 몰라서 용화에게 미리 대기해두라고 얘기해둔 상태였기에 용화는 저희가 도착하기 전에 미리 자리 잡고 있던 상황이었습니다. 그런데......."

"잠시만요. 지금 라디오에서 뭔가 들은 것 같아서요."

갑자기 말을 끊는 시혁. 그러고는 언젠가부터 노래가 아닌 대화 소리가 아주 작게 흘러나오던 라디오의 음량을 키웠다.

- 방금 전 서울역에서 발생한 폭탄테러사건에 관한 속보를 다시 전달해 드리겠습니다. 오늘 오후 2 시 30 분경, 서울역 2 번 출구 인근에서 강력한 폭발음과 함께 화재가 발생하였습니다. 곧 현장에 도착한 경찰과 소방관들은 화재 속에서 발견된 여행 가방 내 폭발물의 일부를 통해 사설 폭탄에 의한 의도적인 테러 사건임을 확인하였습니다.

"무슨 소리예요? 폭탄테러라니."

라디오 소리에 먼저 잠에서 깬 혜리가 혁수에게 물었다. 아직 자는 수아를 제외한 모든 사람이 라디오에서 흘러나오는 속보에 집중했다.

- 폭발로 인근에 있던 시민 52 명이 그 자리에서 숨지고 330 명이 중상을 입었습니다. 폭발이 일어난 장소를 봉쇄하고 부상자들을 가까운 병원으로 이송하는 등 2 차 피해를 최소화하기 위해 추가 인력을 배치하고 있습니다. 대테러센터에서는 곧바로 서울, 인천, 경기도 지역에 테러 경보를 4 단계인 심각으로 발령하였습니다.

"이거 서울 올라가는 타이밍이 좋지 않습니다. 일단 다음 휴게소에 들러서 대책을 좀 세우는 게 좋을 것 같습니다.”

혁수가 룸미러로 혜리를 쳐다보며 말했다. 혜리는 주머니에서 껌 하나를 혁수에게 건네주며 대답했다.

“일단 다음 숙소는 경기도 바깥이니 거기서 고민해보죠. 규모가 좀 있는 휴게소는 될 수 있으면 가지 말고 졸음 쉼터에서 쉬는 게 좋을 것 같아요. 충주까지는 이제 얼마 정도 남았나요?”

“이 정도면 저녁에는 충분히 도착할 것 같습니다.”

수아도 드디어 기지개를 피며 일어났다. 아직 완전히 정신을 차린 건 아닌 지 눈을 비비며 물었다.

“다 왔나요?”

“아직 3시간 정도는 더 가야 해. 지금 라디오에서 중요한 이야기를 하고 있으니까 잘 들어봐. 라디오 소리 조금만 더 키워주세요.”

혜리의 말에 혁수는 라디오 음량을 세 단계 더 키웠다. 라디오에서 귀가 아플 정도로 크고 높은 알람 소리가 울려 퍼졌다. 그 후 다시 한번 아나운서가 약간은 조급해 보이는 목소리로 속보를 전달했다.

– 방금 전달받은 속보입니다. 오늘 오후 3시 8분, 서울역 2번 출구에서 약 2km 정도 떨어진 한국대학병원 인근에서 2차 폭탄테러가 발생하였습니다. 병원에 도착하기 전 수상한 인상착의를 한 채 검은 가방을 들고 있던 용의자를 근처 순찰 중이던 경찰이 발견하여 더 큰 피해는 막을 수 있었지만, 용의자는 그 자리에서 폭탄과 함께 자폭하여 용의자를 저지하려던 2명의 경찰과 함께 폭발에 휘말려 숨지고, 10여 명이 중상을 입었습니다. 용의자는 시

설에서 탈주한 발현자로.......

"일부러 사람 많은 곳만 노렸구나. 뭔가 의도가 있어."

혜리가 작은 목소리로 중얼거렸다. 수아가 혜리를 빤히 쳐다보며 물었다.

"무슨 의도요? 그리고 사람 많은 곳만 노렸다는 게 무슨 말이에요?"

"단순 시위나 건물 폭발이 목적이면 요즘 같은 시대에 굳이 사람을 쓸 필요가 없지. 아무리 발현자라고 해도 말이야. 드론 같은 거 있잖아. 아니면 바퀴나 다리 달린 4족 보행 로봇도 있고. 드론 허가지가 아니라 금방 걸린다고 해도 어차피 터뜨릴 거니까 아무 상관이 없어."

"해보셨어요?"

"예전에는 몇 번 만셔봤는데, 요즘은 잘 안 해. 폭탄 테러를 해봤다는 게 아니라 장난감처럼 갖고 놀았다는 뜻이야. 알지? 어쨌든 테러의 의도가 뭔지는 모르겠는데 당분간 서울에서 움직이기는 힘들겠다."

"떳떳하지는 않은 가 보네요."

수아의 계속되는 말대꾸에 혜리가 안전띠를 풀고 대뜸 수아에게 고개를 들이밀었다.

"꼬마야, 자꾸 그렇게 꼬치꼬치 캐묻는 거 좋지 않은 습관이야. 무서운 이야기는 인제 그만하고 다른 데에 좀 집중해야겠다. 저기 혁수 아저씨. 여기서부터 제가 운전할 거니까 잠시 뒤에서 쉬세요. 음악 들으면서 가만히 운전하고 싶어졌어요. 지금 차가 아예 안 움직이니까 바로 내려서 교대하면 될 거 같네요. 둘은 그냥 그 자리에 있어요."

혁수는 차 문 잠금을 해제하고 도로 한복판에서 내렸다. 혜리도 바로 따라 내려서 운전자 좌석에 앉았다. 그러고는 라디오 대신 자신의 휴대전화 안에 저장되어있던 '집중할 때 들으면 신이나 버리는 EDM 플레이리스트 3 시간'을 재생시켰다. 그렇게 혜리가 운전하는 자동차는 수십 가지의 전자 악기가 혼합된 소리만을 공기 중에 채운 채 오늘의 도착지까지 달려나갔다.

26

충주의 어느 무인텔. 무인텔 근처 해가 저문 거리에는 생기라고는 찾아볼 수 없었다. 무인텔 건물 외벽은 어제 수아와 시혁이 공격받았던 곳보다는 약간 더 허름해 보였다.

무인텔 입구에는 지금 6 명이 모여있었다. 혜리가 운전한 차에 탔던 4 명, 그리고 검은 차로 그 뒤를 계속해서 따라왔고 혁수가 졸음 쉼터에서 같이 이야기를 나눴던 2 명. 혜리가 먼저 말하려는 찰나 시혁이 끼어들었다.

"저기 저 사람들은 무시해도 괜찮을까요?"

시혁이 오른손으로 가리키고 있는 대략 30m 정도 떨어진 곳에는 누가 봐도 발현자인 것 같은 행태의 남녀 둘이 바닥에 엎어진 채 거의 숨만 쉬고 있었다. 혁수가 다른 차를 타고 왔던 깡마른 남자에게 눈치를 주자 바로 시혁이 가리킨 곳으로 달려갔다. 그러고는 발로 엎드려있는 남녀를 슬쩍 밀어보고, 쪼그려 앉아서 이리저리 살펴봤다.

두 발현자는 모두 피골이 상접했고 그나마 살점이 남아있는 부분도 군데군데 물어뜯긴 듯한 상처 아래로 피로 얼룩진 뼈가 듬성듬성 보였다. 가까이 다가가니 고독사한 노인 집에서 날 법한 심한 악취를 풍겨왔다. 혁수의 지시를 받은 남자가 다시 돌아와서 말했다.

"보니까 스스로 일어나지도 못할 거 같은데, 그냥 무시하셔도 됩니다."

혜리가 고개를 끄덕이고는 남자에게 눈짓으로 수아 옆에 서게 했다. 그리고 목청을 한 번 가다듬고 말을 꺼냈다.

"오늘은 여기서 묵을 거고, 방은 2 개 빌렸어요. 이번에도 마주 보는 방이고, 오늘부터는 그 친구가 방을 같이 쓸 겁니다. 좀 말라서 허약해 보여도 옛날에 복싱 국가대표도 했던 친구니까 혹시 무슨 일 생기면 잘 지켜줄 거예요. 어젯밤에 보니까 아무래도 둘이 두면 무슨 일이 생길지 몰라서 특별히 붙여 드리는 거예요."

"이희성이라고 합니다."

희성은 시혁에게 먼저 악수를 권했다. 시혁은 악수를 받으며 말했다.

"정시혁이라고 합니다. 잘 부탁드립니다."

혜리는 둘이 악수가 끝나는 걸 보고 이어서 계속 말했다.

"그리고 여기 이 친구는 이희수예요. 이름을 듣고 알아챘을 수도 있는데 둘이 형제 사이예요. 희수도 그쪽 방에 같이 넣을까 했다가 안 그러기로 했어요. 너무 비좁아지면 밤에 잠자기도 불편할 수도 있고 뭐 이런저런 이유 때문에요."

희수는 그저 아무 말 없이 묵묵하게 서 있었다. 희성보다 약간 더 체격이 큰 걸 제외하면 얼굴만 봐서는 구분하기가 힘들 정도로 서로 닮았다. 혜리는 휴대전화를 한 번 힐끗 쳐다보고 말을 이어 나갔다.

"자, 뭐 다른 건 없고 저랑 혁수 아저씨 둘이 회의 좀 하고 나서 내일 아침에 어떻게 할지 말해줄게요. 아침 8시에 여기로 다시 모일 거니까 일찍 일어나시고, 오늘 저녁이랑 내일 아침은 수아 아버지 차에서 가져온 음식 희성이가 자기들 차에 옮겨놨으니까 그거 먹으면 될 거예요. 희성, 희수. 둘이 잘 챙겨주고. 그럼 각자 방으로 헤어지고 내일 아침에 뵙죠. 해산!"

"자, 그럼 가실까요?"

희성은 수아와 시혁을 데리고 먼저 무인텔로 들어갔다. 희수는 차로 가서 음식을 챙기고 있었다. 그리고 혜리와 혁수는 무인텔로 바로 들어가지 않고 잠시 밤거리를 걷기로 했다.

희성이 발로 밀어서 확인해 봤던 발현자 남녀를 지나 큰길로 나가자 아직 불빛이 꺼지지 않은 식당들이 눈에 들어왔다. 둘은 곧 비빔국수 가게로 들어가 각자 먹을 비빔국수와 불고기 한 접시를 주문했다. 주문이 끝난 후 가게에 홀로 있던 사장님이 주방으로 들어가자 혁수가 말했다.

"일단 백상아리에게 연락해 보는 게 어떻겠습니까? 한 며칠 지나면 잠잠해질 건데 그때 움직이는 게 낫지 않겠습니까?"

"안전하게 하려면 그게 맞겠죠. 한 4~5 일 정도 여기서 기다렸다가 마지막 날에 맞춰서 만나러 갈 수도 있겠지요. 정말 칼같이 계산해서 아무 일도 겪지 않고 갈 수 있다면 말이에요."

"사흘 정도는 서울에 있는 모든 사람이 서로 경계할 겁니다. 경찰들도 도로에서 기습적으로 검문 및 단속을 할 수도 있고, 테러가 또 있을 수도 있을 겁니다."

혁수는 테이블 위에 있던 물병을 들고 종이컵에 물을 따라 혜리에게 먼저 건네주었다. 혜리는 혁수가 따라준 물을 한 모금 마시고 말했다.

"문제는 백상아리는 한 번 시간 약속을 어기면 바로 블랙리스트에 넣어버린다는 거예요. 우리가 발품 팔아서 직접 거래하다가 문제 생길 확률이 이번 주 내로 서울까지 가서 백상아리에게 수아를 넘겨주다가 문제 생길 확률보다는 훨씬 클 거예요."

"그것도 그렇긴 합니다. 그래서 차라리 백상아리에게 이쪽으로 오라고 하는 방법도 생각해 봤습니다. 저희는 일단 넘겨주고 돈만 받으면 되니까 문제는 없을 겁니다."

잠시 고민하는 혜리. 그 사이 식당 사장님이 비빔국수와 불고기를 가져와 테이블에 내려놓는다. 그러고는 카운터에 앉아 식당 구석에 있던 작은 TV를 하염없이 쳐다보았다. 혜리는 식당 사장의 눈치를 보며 목소리를 조금 낮춘 채 말했다.

"그게 조금 힘든 이유가 생각났어요. 서울까지 안 가고 여기서 기다리면 수아와 수아 아버지는 어떻게 떨어뜨려 놓죠? 백상아리에게 S 급이라고 미리 말해서 20 억 더 받

아오기로 했단 말이에요. 면역자가 자발적으로 가야 S 급
이 될 확률이 높아져서 수아 아버지를 살려둔 건데."

혜리는 방금 구운 불 향 가득한 불고기를 한 점 집어
윤기가 좌르르 흐르는 비빔국수 위에 얹었다. 그리고 국
수 면발과 불고기를 같이 집은 후 후루룩 삼켰다. 혁수도
비빔국수를 말없이 먹기 시작했다. 혜리가 절반 정도 국
수를 해치우다 혁수를 바라보며 넌지시 말했다.

"저는 그래도 예정대로 진행하면 좋겠어요. 저는 아저
씨가 해내 줄 거라 믿거든요. 저 혼자였으면, 혹은 아저씨
혼자였으면 못했을 일들을 같이 해내 왔으니까요. 요즘
부쩍 아저씨가 걱정이 늘었다는 건 저도 잘 알고 있어요.
시대가 예전과는 많이 달라졌으니까요. 그래도 제가 아저
씨를 믿고 의지하는 만큼 아저씨도 저에게 조금 더 의지
해 줬으면 해요."

"알겠습니다. 저는 예전과 변함없습니다. 무슨 일이 있
어도 지켜 드리도록 하겠습니다."

"고마워요."

혁수와 혜리는 남은 국수와 고기를 먹으며 이런저런 이
야기를 나눴다.

한편 수아와 시혁은 희성과 무인텔 방 안에서 어색한
기류를 느끼며 각자 하나씩 전투식량을 먹고 있었다. 수
아가 쇠고기 비빔밥을 한 숟가락 떠먹으며 천진난만한 표
정으로 희성에게 물었다.

"아저씨, 아저씨 복싱 국가대표였어요? 진짜예요?"

"사장님이 개인적인 이야기는 하지 말라고 하셨습니다."

"사장님 누구요? 혜리 언니요? 에이, 지금 여기 없잖아

요. 아저씨 그럼 맨손으로 싸우면 다 이겨요? 영화에서 봤는데 주인공 오빠가 나쁜 사람이랑 공사장에서 싸우는데, 나쁜 아저씨들이 나무 막대기나 칼 같은 거 들고 덤벼도 다 때려잡더라고요."

수아가 복싱 선수를 따라 해본다고 허공에 주먹을 몇 번 내질렀다. 희성은 묵묵부답이었다. 시혁이 희성의 눈치를 보다가 한마디 거들었다.

"수아야, 아저씨 곤란하게 하지 말자. 그리고 그건 영화잖아. 복싱으론 힘들지. 종합격투기도 아니고."

"현실에서는 복싱이 최고죠. 길거리 싸움에서는 복싱으로 종합격투기 경기처럼 달려들어서 어떻게든 해보려는 사람들 인중이나 턱 한 대만 제대로 때려도 픽픽 쓰러지는데. 지금 제가 왼손에 끼고 있는 토시 장갑 보이세요? 이게 칼도 막아주는 소재거든요. 현실에서도 왼손으로 막고 오른손으로 한 방 먹이면 덤비는 그 누구든 눈앞이 깜깜해져 버리겠죠."

희성이 살짝 격앙된 듯한 목소리로 말했다. 그리고 왼팔을 살짝 걷어 끼고 있던 회색 토시 장갑을 보여줬다. 시혁이 희성을 진정시키려고 노력했다.

"농담이에요, 농담. 어쨌든 오늘 하루는 같이 있어야 하는데 너무 어색해서 한 번 해본 소리예요. 저도 복싱 경기 어릴 때 아버지랑 많이 봤어요. 주먹 한 방으로 14 초 만에 KO 승 났던 경기가 아직도 기억나네요. 저도 개인적으로는 복싱이 더 실용적인 것 같아요."

"그렇죠? 하하. 저도 괜히 성급하게 굴었네요. 대신 신기한 거 하나 보여 드릴게요. 이거 사실 칼만 막아주는 토시가 아니에요. 원래는 사장님이 위급상황에서만 쓰라고 달아주신 건데, 한 가지 기능이 더 있지요. 잠깐만요."

희성은 오른팔을 옷 안으로 집어넣어 왼쪽 어깨 부분을 몇 번 만졌다. 그러자 토시 장갑을 낀 왼손에서 은은한 파란 빛이 흘러나왔다. 그리고 왼쪽 어깨 부분에서 무언가가 미미하게 떨리는 소리가 났다. 희성은 자리에서 일어나 TV 옆에 놓여있던 작은 바구니에서 알사탕을 한 움큼 집어와 다시 자리에 앉았다. 그러고는 그중 하나를 바닥에 툭툭 내리쳐 보았다. 그러고는 시혁에게 건네주며 말했다.

"한 번 맨손으로 부숴보시겠어요?"

시혁은 양 손바닥으로 사탕을 있는 힘껏 세게 눌러보았지만, 사탕 포장지가 부스럭거리는 소리만 날 뿐 아무런 변화도 일어나지 않았다. 다시 사탕을 건네받은 희성은 사탕을 왼손에다가 쥐었다. 그리고 숨을 크게 들이쉬고는 왼손이 부들부들 떨릴 정도로 힘을 주었다.

'빠드득'

희성이 왼손을 펴고 너덜너덜해진 사탕 포장지를 벗기자 산산이 조각나버린 사탕이 우수수 쏟아졌다.

"우와, 신기해요."

수아가 얼른 부서져 있는 사탕 조각을 하나 집어 먹으며 감탄했다. 시혁도 많이 놀란 듯 장갑을 뚫어져라 쳐다보았다.

희성은 이번에는 사탕 예닐곱 개를 똑같이 잡고 다시 왼손에 젖 먹던 힘까지 다해 사탕을 힘껏 쥐었다. 얼굴이 빨개지고 표정이 잔뜩 일그러지다가 곧 손에서 파바박 소리가 들리자 크게 안도의 한숨을 내쉬었다. 이번에도 역시 사탕은 전부 산산이 조각났다.

수아는 신기해하며 손뼉을 쳤다. 희성이 다시 오른팔을 옷에 집어넣고 왼쪽 어깨 부분을 몇 번 만지자, 장갑에 켜져 있던 파란불이 꺼졌다. 그러고는 의기양양한 듯 말했다.

"이 정도면 영화에 나오는 그 주인공 오빠랑 비슷하겠지?"

"네, 완전 멋있었어요. 어떻게 작동하는 거예요?"

수아가 고개를 끄덕거리며 물었다. 희성은 왼쪽 어깨 부분을 오른손으로 가리키며 답했다.

"여기에 전원 넣는 스위치랑 세기를 조절하는 버튼이 있거든. 그래서 전원을 켜고 버튼으로 세기를 조절하면 그때부터 내가 손에 힘을 빡 주면 알아서 더 세게 쥘 수 있도록 도와주는 거래. 신기하지?"

"혜리 언니가 달아 준 거라고요?"

"사장님이 직접 만드셨다고 그랬어. 평소에 차고에서 이것저것 잘 만드시더라고."

수아와 시혁은 순간적으로 서로 쳐다보았다. 그리고 다시 고개를 돌렸다. 곧이어 시혁이 희성에게 물었다.

"그나저나 어떻게 혜리 씨 밑에서 일하게 됐어요?"

"오토바이 사고 때문에 부상이 생겨서 경기를 뛸 수가 없게 되었거든요. 그래서 벌이도 없어졌죠. 그러다가 여기서 먼저 일하던 희수 형이 사장님께 저를 소개해 줬어요."

"사장님은 어떤 분이세요? 이런 거 물어봐도 되려나?"

시혁이 살짝 뜸 들이다가 희성에게 물었다.

"야망도 있고 좋은 분이죠. 갈 곳 잃은 저희 형제도 거둬주시고 밑에 있는 사람들한테 잘해주시죠. 나이는 저보다 어린데도 그릇이 크다고 해야 하나?"

"어떤 야망이 있는데요?"

"저도 사실 자세히는 잘 모르겠어요. 사장님과 사장님 옆에 늘 붙어 다니는 구혁수 전무님. 두 분이 대부분의 일을 지휘하시고 저희는 시키는 대로 따르는 처지거든요. 저야 머리 아픈 일보다는 몸 쓰는 게 좋으니까 불만 없이 잘 지내지만요."

"그럼 혹시 저희가 어디로 가는지는 아세요?"

"어허. 당연히 말 못 하죠. 구 전무님이 이것저것 캐물을 수도 있으니 조심하라고 말한 이유가 있었네요. 자 대충 다 먹었으면 치우고 쉬죠. 10시 되면 딱 잘 거니까 그렇게 알고 계셔요."

희성은 비닐에 저녁을 먹고 생긴 쓰레기를 담기 시작했다. 정리가 끝나자 먼저 자리에서 일어나 방구석에 있던 의자를 가져와 부엌 벽을 등지게 두고는 앉아서 수아와 시혁을 지켜봤다.

수아와 시혁도 식사를 마친 후 희성의 눈치를 보며 침대 끝에 걸쳐 앉았다. 시혁은 침대 옆에 있던 리모컨을 집어 들어 TV를 켜고 뉴스를 넋 놓듯 바라보았다. TV에서는 한참 오늘 있었던 서울 폭탄 테러에 관한 이야기가 나오고 있었다. 현장 주변에 쳐진 경찰통제선 바깥에서 기자가 한 경찰과 인터뷰를 진행하고 있었다.

옆에서 시혁과 같이 TV를 보던 수아는 목덜미를 만지작거리다 뭔가 떠오른 듯 눈을 이리저리 굴려 방 안을 살펴보았다. 그러고는 시혁을 툭툭 치고 귓속말로 속닥속닥 무언가를 설명하기 시작했다. 시혁도 무언가를 생각하며 뜸을 들이다가 수아에게 귓속말로 답했다. 둘을 쳐다보던 희성이 말했다.

"둘이 왜 몰래 속닥속닥 이야기하세요?"

"그냥 둘이 저희만 아는 이야기하는 건데 너무 신경 쓰지 마세요. 옛날에 서울 여행 가서 있었던 일 이야기하고 있던 거니까."

희성은 콧방귀를 뀌고 손가락 관절을 꺾어 뚜두둑 소리를 내고는 다시 아무 말 없이 시혁과 수아를 쳐다봤다. 시혁과 수아는 희성의 눈치를 보고는 다시 한참을 그렇게 둘이 이야기했다. 그러다 수아가 갑자기 자리에서 일어나며 말했다.

"아빠 진짜 알사탕 하나만 먹고 자는 게 안 될 일이야? 방 안에 있는 거면 무료잖아. 양치질하고 자면 되지."

"안 돼. 지금 이렇게 늦게 달콤한 거 먹으면 몸에 안 좋아. 먹을 거면 내일 아침에 먹어."

시혁은 자리에서 일어나지는 않고 수아를 바라보며 단호하게 말했다. 하지만 수아는 TV 옆에 있는 작은 바구니에 담긴 사탕 중 하나를 집어왔다. 보라색 포장지로 보아 포도 맛 사탕인 것으로 보였다. 그러고는 시혁이 말리려고 일어나기도 전에 얼른 포장지를 까서 사탕을 손에 쥔 후 바로 입에 넣어버렸다. 희성은 여전히 말없이 수아를 바라보고 있었다.

시혁은 성큼성큼 수아에게 다가갔고, 수아는 잡히지 않기 위해 도망쳤다. 그러다 사탕을 꿀꺽 삼켜버렸다. 몇 걸음 더 도망가다가 갑자기 캑캑 기침 소리를 내는 수아. 수아는 급하게 목걸이를 부여잡고는 잡아당기며 바닥에 드러눕는다. 당황한 시혁과 희성은 수아에게 달려갔다. 시혁이 희성에게 다급한 목소리로 말했다.

"사탕이 목에 걸렸나 봐요. 목걸이 때문인 거 같은데 어떻게 좀 해주시면 안 될까요? 제발 부탁해요. 제발......."

수아는 괴로워하면서 바닥에 굴러다니며 발을 점점 빠르게 동동 구르고 있었다. 희성은 오른손으로 자기 목덜미를 벅벅 긁으며 무언가 고민하고 있었다. 그러다 결국 왼쪽에 착용하고 있던 토시 장갑의 스위치를 켰다. 희성은 은은한 파란빛을 왼팔에 두른 채 수아에게 다가갔다. 그러고는 오른손으로 수아의 뒤통수를 붙잡고, 왼손 검지를 억지로 목걸이 줄 안으로 집어넣은 후 목걸이 줄을 힘껏 움켜쥐었다. 목걸이 줄은 곧 투두둑 소리를 내며 끊어졌다.

수아는 희성이 줄을 붙잡고 있는 동안 손을 주머니에 집어넣었다. 그리고 줄이 끊어지자 수아는 아등바등하다가 갑자기 손을 입에 가져다 대고는 기침을 몇 번 하더니 곧 방금 집어먹었던 사탕을 뱉어냈다. 희성이 수아를 바닥에 살포시 내려놓자 시혁이 허겁지겁 다가가서 바닥에 엎드리고 있는 수아를 조심해서 들어 올리며 물었다.

"수아야, 수아야. 괜찮아? 진짜 큰일 날 뻔했네."

"으응. 숨이 막혀 죽을 뻔했는데 겨우 뱉어냈어. 목걸이 때문에 사탕이 목에 걸려서 뱉지도 삼키지도 못해서 너무 무서웠어."

수아는 쉰 소리를 내며 울먹였다. 그러면서 수아와 시

혁은 바닥에 떨어진 목걸이를 바라보았다. 목걸이 연결부와 목걸이 줄 일부분이 납작하게 눌린 채 조각조각 떨어져 있었다. 희성은 토시 장갑의 전원을 끄고는 밖으로 나가버렸다. 희성이 밖으로 나가는 걸 확인한 수아는 안도의 한숨을 내쉬며 말했다.

"저기 저쪽에 물티슈 좀......."

시혁은 잠시 자리에서 일어나 방구석에 있던 물티슈 팩 하나를 가져와 수아에게 가져다준다. 수아는 다시 시혁의 무릎에 머리를 베고 누운 채 옷 주머니에 물티슈를 집어넣고 박박 닦아냈다. 물티슈에는 끈적한 보라색 액체가 닦여 나왔다. 그리고 시혁에게 윙크를 하고 다시 물티슈를 건네주었다.

희성은 금방 다시 무언가를 들고 방으로 돌아와 가지고 왔던 물건을 내려놓는다. 하얀 방수테이프였다. 시혁이 방수테이프를 보고는 의아해하며 물었다.

"딸 구해준 건 감사합니다. 하지만 이건 피부가 찢어지거나 긁혔을 때 쓰는 거 아닌가요? 혹시 발버둥치다가 피부 쓸린 곳이 있나?"

수아와 함께 방바닥에 앉아있던 시혁이 무릎베개를 하고 누워있는 수아를 바라보자 수아가 고개를 가로저었다. 희성이 목걸이를 바라보며 말했다.

"저기에 떨어져 있는 목걸이, 저거 붙이라고 가져온 거에요. 사장님이 목걸이는 무슨 일이 있어도 절대로 손대지 말라고 당부했는데 어겨버렸네요. 예외는 없다고 하셨는데 일단 애는 살리고 봐야죠. 사장님에게 들키지 않도록 일단 임시로 붙이고 있어요."

시혁은 희성의 말에 따라 끊어진 목걸이를 다시 수아의 목에 두르고 방수테이프를 둘둘 감았다. 그러고는 엄지와 검지로 목걸이가 다시 떨어지지 않도록 꾹꾹 누르고 수아의 상의 옷매무시를 정리해 주니 끊어졌던 부분이 감쪽같이 가려졌다. 수아가 확인차 목걸이를 살짝 잡아당겨도 아무렇지 않았다.

"씻을 때만 좀 조심하면 당분간 떨어질 일은 없을 거에요. 이제 진짜 다들 씻고 정리하고 자시죠."

희성의 말이 끝나기가 무섭게 이때 갑자기 방문을 누군가가 3번 노크했다.

"저에요."

노크를 한 건 혜리였다. 희성이 문을 열자 혜리가 문을 닫고 문에 기대어 섰다. 혁수는 보이지 않았다. 혜리가 손에 들고 있던 휴대전화를 한 번 힐끗 쳐다보고는 말했다.

"밖에 잠시 나갔다 왔는데 잘 있나 궁금해서 와봤어요. 내일 아침 8시까지 모이는 거 잊지 않으셨죠?"

수아와 시혁이 어색한 표정으로 혜리를 바라보았다. 시혁이 그렇다고 대답했다. 희성이 혜리에게 말했다.

"사장님, 내일 1분도 늦지 않도록 잘 준비시키겠습니다."

"아니 뭐 그럴 것까지는 없고요. 혹시 밤에 무슨 일 생기지 않도록 잘 지켜주세요."

"네, 알겠습니다."

희성은 긴장한 목소리로 대답했다. 혜리는 오른손 검지와 중지로 '잠자다'라는 수어를 표현한 후 한번 싱긋 웃어 보이고 밖으로 다시 나갔다. 수아와 시혁, 그리고 희성은 그렇게 숨 막히는 하루를 마무리했다.

27

"자, 다들 밤새 별일 없으셨죠? 딱 8시에 맞춰서 나오셨네요."

수아와 시혁, 그리고 희성이 무인텔 입구로 나서자 미리 나와 있던 혜리가 이들을 반기며 말했다. 혜리 옆에는 어제와 다른 정장으로 갖춰 입은 혁수와 희수가 서 있었다. 희성은 눈치를 보다 희수 옆으로 가서 나란히 섰다. 혜리가 목을 가다듬고 계속 말을 덧붙였다.

"어제 고민을 참 많이 했는데, 결론부터 말씀드리면 더는 지체하지 않고 서울로 가기로 했어요. 이제 큰 사고만 나지 않는다면 빠르면 하루, 늦어도 이틀 혹은 사흘이면 서울에 도착할 건데, 하루빨리 귀중한 면역자를 한 명이라도 더 모셔야 하지 않겠어요?"

"저희가 가고 싶은 곳으로 갈 가능성은 없나요?"

시혁이 팔짱을 낀 채 혜리에게 말했다.

"아 그때 서울로 간다는 건 들었는데. 혹시 모르니 정확히 어디로 가는지 들어볼까요? 친가가 서울에 있으신가?"

"가족 보러 가는 거 아니에요."

"그러면 왜 서울로 가는 건데요?"

혜리와 시혁은 한동안 서로가 원하는 답변이 나오지 않는 질문을 주고받았다. 참다못한 수아가 결국 끼어들었다.

"연구소로 갈 거예요. 언니도 면역자인데 같이 가면 안 돼요?"

"연구소? 아, 혹시 감염병 연구소 말하는 거니? 진짜?"

수아의 말에 갑자기 폭소를 터뜨리는 혜리. 한동안 다른 사람은 의식하지 않고 웃는 건지 비웃는 건지 구분하기 힘들 정도로 웃어대다가 겨우 진정하고 수아에게 말했다.

"그렇다면 더 연구소로 보내줄 수는 없는걸? 왜냐하면, 나는 이미 그곳에 가봐서 그곳이 어떤 곳인지 잘 알아. 거기는 백신이든 치료제든 뭔가를 만들어서 지금 이 사태를 해결할 생각이 전혀 없어."

"거짓말하지 마요!"

씩씩대며 화를 버럭 내는 수아. 혜리는 수아에게 다가가 쪼그려 앉으며 표정 하나 바뀌지 않고 수아의 눈을 뚫어져라 바라보았다. 수아도 질세라 눈도 깜빡이지 않고 혜리를 정면에서 노려보았다. 혜리는 웃으며 말을 이어나갔다.

"거기서 피도 몇 번이나 뽑고 온갖 처음 보는 검사도 순순히 응했는데, 3일 뒤에 협조해 주셔서 감사하다는 말과 돈 몇 푼만 받고 나를 다시 내보냈어. 그리고 그 뒤로 어떠한 연락도 받지 못했지."

"그건 그냥 언니 피가 치료제와 안 맞았던 거겠죠."

"뭐, 그럴 수도 있겠지. 하지만 내가 거기에서 검사받고 연구소 견학을 좀 하면서 연구소장과 다른 직원이 이야기하는 걸 엿들었는데, 연구소장은 지금 이 사태가 계속 유지됐으면 하는 것 같았어. 연구소가 마지막 희망이라 그런지 온갖 사람들에게서 돈이란 돈은 다 챙기는 것 같더라."

"에이, 그렇게 따지면 치료제 개발에 성공하면 훨씬 주목받을 텐데 말이 안 되죠."

시혁이 혜리의 말을 듣다가 따졌다. 혜리는 자리에서 일어나 기지개를 켜며 말했다.

"성공해서 한동안은 주목받겠지요. 그런데 거기는 국가 소속 단체지 개인이 가지고 있는 회사가 아니라서요. 일이 해결되면 당장 후원금은 끊길 것이고 정치하는 사람들이 서로 자기 업적이라고 생색내다가 이제 쓸모가 없어지면 팽하고 버리겠지요. 그렇게 점차 관심이 사그라지면 다시 일상으로 돌아갈 텐데, 그러면 다시 뭐 독감이나 동물 방역 같은 거나 관리하겠지요."

"언니 말이 정말 맞으면, 언니 말대로라면 제가 연구소에 먼저 간다고 해도 아무 문제가 없는 거 아닌가요? 도대체 언니는 저를 어디로 데려가려고 이러는 건데요?"

잠시 고민하던 혜리는 혁수와 조용히 이야기를 나누었다. 그리고서 수아에게 말했다.

"면역자들이 같이 사는 새벽올뺴미라는 곳으로 데리고 갈 거야. 넌 아직 어리니까 너희 아빠도 같이 살 수 있도록 잘 이야기 해놨어. 면역자만이 고요의 밤에도 자유롭게 활동을 할 수 있기 때문에 그걸 활용해서 많은 걸 하고 있지. 면역자가 그리 많지 않다 보니 최대한 같이 뭉쳐서 행동해야 이득을 많이 볼 수 있어. 나는 바깥에서 너 같은 면역자를 데리고 오는 역할을 하고 있단다."

"제 첫 번째 질문에 대한 답은 못 들었는데요."

"첫 번째 질문이 뭐였지? 연구소로 먼저 가도 안 되냐고? 나는 솔직히 연구소에서 우리 몸에 무슨 짓을 하는지 못 믿겠어. 우리 혈액 샘플이나 갖가지 검사를 하면서 우리에게 어떤 짓을 하는지 믿을 수가 없거든. 그리고 거기 가면 연구소에 정식으로 '나는 면역자다'라는 걸 알려 버리는 건데, 그것도 나중에 연구소든 국가에서든 어떻게 써먹을지 모른다 이 말이지. 면역자가 오히려 관리 대상이 될 수 있다는 이야기야. 그래서 나도 자의 반 타의 반으로 주로 바깥에서 생활하고 있어. 답변이 됐니?"

"그럼 새벽올빼미에서 뭘 하는데요? 이제 초등학생인 제가 거기서 뭘 할 수 있나요?"

"불법적인 일은 안 하니까 걱정 안 해도 돼. 내가 볼 때는 너는 어리지만 똑똑하니까 할 수 있는 일이 많을 거야. 정 나를 못 믿겠으면 연구소부터 가도 괜찮아. 하지만 연구소를 간다고 무조건 이득을 보지는 않는다는 걸 생각하고 결정해. 연구소를 방문했던 면역자는 환영받기 힘드니까 말이야."

혜리의 말을 듣고 아무 대꾸도 하지 못하는 수아와 시혁. 혜리는 계속해서 쏘아붙였다.

"그리고 연구소에서 어떻게 우리랑 떨어져 볼 생각은 안 하는 게 좋아. 알지?"

혜리는 수아의 목걸이를 가리킨 후 자신의 목 부분을 가리켰다. 수아는 조심스럽게 자신에 목에 간신히 매달려 있는 목걸이를 살포시 잡아보았다. 시혁은 어젯밤에 임시로 붙여두었던 목걸이 줄 부분을 바라보았고, 수아의 옷에 가려서 보이지 않는다는 걸 확인하고 안심하는 듯했다.

혜리가 손짓을 멈추고 이어서 말했다.

"자, 제가 말할 수 있는 건 다 말했고요. 이제 와서 다시 대구로 돌아갈 수는 없어요. 그건 제가 막을 겁니다. 하지만 서울로 가서 연구소를 먼저 가든지 아니면 저희 목적지로 바로 가든지는 직접 결정하게 해드릴게요. 차 안에서 이야기하면서 결정하면 되니까 이제 출발합시다."

혜리는 느닷없이 크게 손뼉을 한 번 치고 대화를 마무리 지었다. 혁수가 눈치를 주자 무인텔 입구에 서 있던 모든 인원이 말없이 각자 어제 탔던 차에 탑승했다. 차는 무리 없이 금방 고속도로로 나섰다.

의외로 오늘은 차가 멈춰있는 시간보다 앞으로 나아가는 시간이 더 많았다. 물론 바깥 풍경을 보면 지루한 건 마찬가지였시만 이세는 어느 정도 적응이 된 긴지 수아도, 시혁도 별로 의식하지 않는 듯했다. 출발하기 전부터 계속 무언가를 고민하던 시혁은 한참을 바깥풍경만 바라보다 룸미러로 뒷자리를 보며 수아를 불렀다. 수아가 반응하자 시혁이 수아에게 물었다.

"그래도 연구소로 먼저 가는 게 맞겠지? 새벽올빼미라는 곳으로 가는 것보다?"

"나는 그래도 연구소로 가고 싶어."

"다른 건 다 제쳐놓더라도 네가 국가 관리 대상이 될 수도 있다는 게 마음에 켕기네."

"나는 그런 건 일기 쓸 때부터 다 각오했어. 피를 매일 같이 뽑아도, 온종일 누군가가 나를 몰래 감시해도, 모르는 사람들이 망치를 들고 쫓아온다고 해도 괜찮아. 마녀의 저주 같은 이 상황을 내가 해결할 가능성이 조금이라도 있다면 나는 상관없어. 백조 왕자의 엘리사 공주처럼 묵묵히 해야지."

수아는 비장한 표정을 지으며 말했다. 한편 휴대전화 화면을 엄지손가락으로 쉴 새 없이 두드리며 무언가에 집중하던 혜리는 잠시 고개를 들고 무미건조한 톤으로 말했다.

"이야, 수아 아버님은 좋으시겠어요. 딸이 이렇게나 성숙한 마음가짐을 가지고 있으니 말이에요."

시혁은 비아냥거리는 듯한 혜리의 말을 무시하고 수아에게 말했다.

"그래. 백조 왕자 동화책 읽어줬던 기억이 나네. 애초에 그러기 위해서 집을 나온 거니까. 연구소로 먼저 가고, 결과가 시원찮다면 그때는 새벽올빼미로 가도록 하자."

"알겠어."

수아도 룸미러에 보이는 시혁의 눈을 바라보며 대답했다. 시혁이 이번에는 룸미러에 비치는 혜리를 바라보며 말했다.

"그 정도는 봐줄 수 있죠, 혜리씨?"

"물론이죠. 제가 그렇게 말했잖아요. 저는 개인적으로 내키지 않지만, 그 정도는 선택할 수 있게 해줘야겠지요. 오늘은 차가 좀 덜 막히는 것 같네요. 잘하면 오늘 내로 서울까지 갈 수 있겠는 걸요. 그렇죠 혁수 아저씨?"

여전히 휴대전화만 바라보며 무언가에 열중하고 있던 혜리가 잠깐 앞을 힐끗 쳐다보며 말했다.

"네, 도로 상황이 꽤 좋습니다. 그럼 가능하면 연구소 쪽으로 경로를 잡고 혹시 다시 도로 상황이 나빠지면 근처 숙소에서 묵을 수 있도록 해보겠습니다.”

“좋아요. 그럼 제가 뒤에 따라오고 있는 희성이에게 미리 그렇게 말해놓을게요. 오늘은 뭔가 일이 착착 잘 진행될 것 같은 느낌이 들어서 좋네요. 사탕 하나 먹어야겠다. 어제 무인텔 숙소 안에 사탕이 좀 많이 있더라고요.”

혜리는 왼손을 주머니에 넣고는 사탕을 한 움큼 꺼내 뒤적거리다 보라색 포장지로 둘러싸인 포도맛 사탕을 집어 들었다. 어제 수아가 목걸이를 벗기 위해 먹은 척했던 사탕과 같은 사탕이었다. 수아가 사탕을 뚫어져라 쳐다보는 걸 의식한 혜리가 왼손에 가득 쥔 사탕을 수아에게 내밀며 물었다.

“너도 하나 먹을래? 많이 들고 왔는데. 나는 포도맛이 제일 좋더라고.”

수아는 아무 말 없이 사탕을 받아먹었다. 혜리는 시혁에게도 똑같은 사탕을 하나 내밀었지만 시혁은 거절했다. 혜리는 사탕을 주머니에 다시 집어넣고 뭔가 생각하다가 혁수에게 물었다.

“아저씨, 혹시 하남휴게소 쪽으로 들어가도 크게 안 돌아가죠? 작년에 서울 가는 길에 거기서 먹었던 김밥 엄청 맛있었는데 오랜만에 당기네요.”

“아마 크게 차이는 없을 겁니다. 지금 도로 상황이면 저녁 시간까지는 도착할 수 있을 것 같습니다. 하남휴게소 쪽을 통해서 가도록 하겠습니다.”

희성에게 전화를 거는 혜리. 희성이 전화를 받자 하남휴게소를 지나 연구소 쪽으로 갈 수 있도록 경로를 잡으라는 이야기를 간단하게 한 후 먼저 전화를 끊었다.

그 뒤로 차 안은 누구도 말을 꺼내지 않아 한동안 조용한 상태를 유지했다. 혜리는 충전기를 꽂은 채 아침부터 지금까지 휴대전화만 만지작거리고 있었고, 수아는 사탕을 다 먹고 나서부터 계속 말없이 꾸벅꾸벅 졸고 있었다. 시혁도 무언가를 한참 고민하다가 결국 잠을 청했다.

점심시간이 다 되어서 목적지의 중간 정도 되는 이천휴게소에 도착했을 때도 그리 다르지 않았다. 혁수가 운전한 차 안에 타고 있던 넷과 희성, 희수를 포함한 여섯 명모두 메뉴를 정할 때 빼고는 별말 없이 휴게소 식당 안에서 기다리다가 조용히 식사를 마쳤다. 식사가 끝난 후 혜리가 휴대전화를 주머니에 넣고 오래가던 어색한 침묵을 깼다.

"다들 많이 피곤한가 보네요. 이제 정말 목적지까지 얼마 안 남았어요. 이대로면 오늘 서울 초입은 할 수 있을 거 같네요. 정신 딱 차리게 커피 한 잔씩 하셔야 할 거 같네요. 수아는 딸기라떼 하나 마실래?"

"네, 딸기라떼 하나 마실래요."

혜리가 눈치를 주자 희성이 자리에서 일어나 휴게소 식당 문 앞에 있던 카페 계산대 앞으로 다가갔다. 그리고 곧 아이스 아메리카노 다섯 잔, 딸기라떼 한 잔을 들고 자리로 돌아와 한 잔씩 나눠주었다. 혜리가 자리에서 일어나며 말했다.

"자, 이제 음료도 챙겼으니 출발해야죠. 커피는 차 안에서 마시면 되니까 들고 갑시다."

각자 받은 음료를 마시며 차로 향하는 6인조. 혜리가 먼저 운전석에 앉더니 따라오던 혁수에게 말했다.

"하남휴게소까지는 제가 운전할게요. 아저씨는 보조석에 앉아서 조금 있다 과자나 좀 먹여줘요. 괜찮죠?"

"알겠습니다."

"둘은 뒤에서 같이 시간을 보내든지 하시고요. 빨리 타세요. 음료수 마시면서 잠 좀 깨고요."

점심을 먹고 노곤해진 수아와 시혁은 별 말없이 뒷좌석으로 가서 자리에 앉았다. 수아와 시혁은 각자 가지고 있던 음료를 마시며 억지로 잠을 이겨내려고 했다. 시혁이 잠이 들지 않기 위해 양손으로 본인의 뺨을 살짝씩 때리며 수아에게 말했다.

"점심 먹고 나니까 엄청 졸리네. 커피 마셔도 효과가 없는 거 같다."

"나도 커피 마시면 안 돼? 딸기라떼는 엄청 차갑고 달콤하긴 한데 카페인이 없어서 그런지 더 피곤해지는 것 같아."

"안 돼. 적어도 중학교는 가서 마셔."

"한 입만 마셔보면 안 돼?"

수아와 시혁이 티격태격하는 동안 도로 상황은 점점 좋아졌다. 비틀거리는 차가 종종 있었지만, 근처에 큰 사고는 나지 않았는지 도로에 나와 있는 차들이 멈추지 않고 앞으로 나아갔다.

수아의 제안으로 지루함을 덜기 위해 끝말잇기, 스무고개 등 말로 할 수 있는 놀이를 시혁과 수아, 그리고 운전을 하는 혜리가 같이 한참 동안 즐겼다. 그러다 더 할 놀이가 떨어지자 혜리가 휴대전화에 저장되어있던 '운전하면서 들으면 절대 졸리지 않는 메탈 4 시간 믹스'를 재생시켰다. 강렬한 일렉기타를 선두로 드럼, 베이스, 보컬이 각자의 개성을 유지하며 듣는 사람의 고막을 자극했다. 그렇게 회색 SUV는 하남휴게소까지 비교적 평화로운 분위기를 유지하며 앞으로 나아갔다.

28

"이야, 역시 맛있네요. 그렇죠? 생각보다 빨리 와서 저녁 먹기에는 조금 이른 시간이라 안 들어갈 줄 알았는데 전혀 아니네요."

이른 저녁, 하남휴게소. 혜리와 일행들은 휴게소 식당에서 삼겹살김밥과 떡볶이를 나눠 먹고 있었다. 한 입 먹을 때마다 감탄사를 연발하며 먹는 혜리. 나머지 사람들도 각자 나름 저녁 식사를 즐기고 있는 듯했다. 젓가락으로 김밥 한 개를 집은 채 혜리가 경망을 떨며 말했다.

"이게 고속도로 휴게소에서 파는 일반적인 그런 퀄리티가 아닌 거 같지 않나요? 막 구운 따뜻하고 쫄깃한 삼겹살과 쌈에 들어갈 만한 재료가 김밥 속에서 어우러지면서 맛이 장난 아니에요. 작년에 먹었던 맛보다 더 맛있어진 것 같아요. 떡볶이랑 같이 먹어서 그런가. 수아야, 맛있지?"

"네, 정말 맛있어요."

혜리를 슬쩍 쳐다보며 대답하는 수아. 수아는 곧 다시 앞에 놓인 음식에만 집중하기 위해 고개를 숙였다.

한편 휴게소에 걸린 시계를 쳐다보는 시혁. 시계는 5시를 가리키고 있었다. 시혁은 떡볶이 국물에 삼겹살김밥을 쭉 찍어서 정신없이 먹고 있던 혜리에게 물었다.

"저기, 오늘 연구소까지 가는 거 맞나요?"

"네? 아. 음. 서울이 코앞이긴 하죠. 글쎄요? 서울은 지금 테러경보 때문에 상당히 감시가 심해서 오늘 연구소로 가지는 못할 거 같은데, 그렇겠죠?"

혜리는 시혁의 말에 건성으로 대답하고는 혁수에게 되물어보았다. 혁수는 잠시 고민하다가 대답했다.

"네. 오늘은 서울 입성하자마자 가장 가까운 숙소에서 묵고 내일 움직여야 할 것 같습니다."

"들으셨죠? 그나저나 이제 정말 서울까지 와버렸네요. 별 탈 없이 와서 정말 다행이네요. 다들 정말 고생 많으셨어요."

혜리는 말을 마치고 잠시 젓가락을 내려놓은 후 물을 한 모금 마셨다. 그리고 드럼 치듯 테이블을 검지로 여러 번 두들기다가 갑자기 자리에서 일어나며 말했다.

"저는 잠시 화장실 좀 다녀올 테니 맛있게 드시고 계세요."

그러고는 식당 밖으로 나가 시야 밖으로 사라졌다. 혜리가 밖에 나간 걸 확인한 혁수가 희성과 희수에게 말했다.

"혜리 님 따라 밖에 가서 살펴보고 와."

희성과 희수는 말없이 고개를 끄덕이고는 식당 밖으로 나갔다. 혁수는 희성과 희수가 건물 밖으로 나가는 걸 확인하고는 수아를 보며 물었다.

"아까 차에서 한 이야기, 진심입니까?"

"어떤 이야기요?"

김밥 하나를 집어서 먹으려던 수아가 혁수의 질문에 김밥을 내려놓고 혁수를 바라보며 되물었다.

"연구소랑 동화 이야기 말입니다."

"네. 진심이에요."

수아는 다시 입에 김밥을 욱여넣었다. 혁수는 왼쪽 뺨에 흉터가 나 있는 부위를 손으로 만지며 말했다.

"혜리 님이 말한 연구소 이야기 중 정정할게 하나 있습니다. 수아 아버님도 잘 들어주십시오. 일단 기본적으로 혜리 님이 아침에 말했던 연구소에 관한 이야기는 대부분 사실입니다. 실제로 연구소를 방문했던 점, 거기서 면역자로 판별 받은 사람은 등록되어 관리 대상이 될 수도 있다는 점, 그리고 혜리 님의 피는 별로 도움이 되지 않았던 점은 사실입니다."

"그럼 연구소장 이야기가 거짓말인가요?"

시혁이 혁수에게 물었다. 혁수는 식당 출구를 다시 한번 살펴보고는 대답했다.

"연구소장을 직접 본 건 맞지만, 돈을 받는다거나 치료제를 만들 의지가 없다는 건 사실이 아닙니다. 이유는 잘 모르겠지만, 그때 당시 혜리 님이 거짓말을 했다는 건 확실합니다."

"어떻게 알아요?"

수아가 미처 김밥을 다 삼키지도 않은 채 우물거렸다.

"사람들이 보통 거짓말을 할 때 하는 행동들이 있습니다. 손으로 코를 만진다거나, 머리를 가다듬거나, 눈을 마주치지 않거나, 반대로 지나치게 눈을 바라보는 등 일련의 행동들을 잘 관찰하면 거짓말을 하는지 아닌지 알 수가 있습니다."

수아는 혁수의 말을 들으며 자기도 모르게 코를 만지작거렸다. 혁수는 계속 말을 이어나갔다.

"혜리 님과 같이 지내는 시간이 많다 보니 혜리 님이 거짓말을 할 때 하는 그런 패턴들이 이제는 명확하게 보입니다. 그리고 추가로 혜리 님이 검사를 받을 때 저도 연구소를 둘러볼 기회가 있었는데, 제가 생각할 때는 연구소 사람들에게서 혜리 님이 말했던 그런 모습은 전혀 안 보였습니다. 제가 못 보고 지나친 것이 있을 수도 있지만 말입니다. 그리고 하나 더 중요한 이야기가 있습니다."

잠시 숨을 고르는 혁수. 다시 한번 식당 출구를 쳐다보고는 말을 꺼냈다.

"새벽올빼미에서 사는 면역자들은 모두 두 가지 선택권을 가지고 있습니다. 하나는 새벽올빼미에서 주어진 야간 업무를 하면서 생활을 하는 것이고, 다른 하나는 수술대에 오르는 것입니다."

"수술대요?"

수아가 흠칫 놀란 표정을 짓는다.

"저도 정확히 어떤 수술인지는 모르지만, 이식 수술을 통해 면역자를 일반인으로 만드는 대신 이미 발현자가 되어버린 사람 몇 명을 살릴 수 있다고 들었습니다. 새벽올빼미 입장에서는 면역자가 줄어들기에 썩 좋지는 않지만, 대신 막대한 금전적 보상을 발현자 가족이나 발현자 본인에게 받아내 이식 수술로 일반인이 되는 당사자와 새벽올빼미에게 배분합니다. 그래서 개개인의 선택을 존중한다는 허울 좋은 구실로 이식 수술을 금지하지는 않고 있습니다."

"그럼 혹시 제가 새벽올빼미에 가면 강제로 수술을 받게 되지 않을까요?"

턱을 만지며 잠시 고민하던 혁수는 곧 대답을 이어나갔다.

"그럴 일은 없습니다. 강제로 수술하는 건 면역자 인력 부족 문제 때문에 금지하고 있고, 자발적으로 지원해도 여러 가지 면밀한 검토 과정을 철저하게 거쳐 적합한 경우에만 진행한다고 합니다."

"혜리 언니 몰래 이 이야기를 해주는 이유가 뭐에요? 이것도 혜리 언니가 시킨 이야기인가요?"

아직 의심의 눈초리를 거두지 않은 수아가 혁수에게 물었다.

"저를 믿지 못하는 것도 이해가 됩니다. 혜리 님 몰래 말씀드리는 건 크게 두 가지 이유 때문입니다. 하나는 차에서 수아 양이 이야기했던 진정성 있는 공주 이야기 때문이고, 다른 하나는 이제 혜리 님이 면역자 관련 일은 접고 다른 일에 집중해줬으면 하는 바람 때문입니다."

시혁과 수아는 서로 쳐다보며 눈치를 보았다. 혁수는 헛기침을 한 번 하고 계속 말했다.

"정확히 말씀드리면, 수아 양에게서 어렸을 때 혜리 님의 모습을 보았기 때문입니다. 그리고 혜리 님에게서 그런 모습을 다시 한번 보고 싶어서입니다. 저희가 해왔던 일을 생각하면 조금 결이 다를 수는 있지만, 시대가 많이 변했지 않습니까?"

혁수는 말을 마치고 손목에 차고 있던 시계를 살펴보았다. 그리고 자리에서 일어났다.

"혜리언니 아직 덜 먹었는데 안 기다려도 되나요?"

혁수가 수아의 말에 대답하려던 찰나 느닷없이 휴게소 건물 밖에서 화물차 경적소리가 고막을 찢을 정도로 크게 들려왔다. 귀가 먹먹해져 시혁과 수아 둘 다 혁수의 대답을 제대로 들을 수가 없었다. 시혁과 수아는 소리가 나는 방향으로 고개를 돌렸고, 빨간 망토를 향해 돌진하는 투우소처럼 자신들을 향해 달려오는 25톤 트럭을 발견했다.

트럭은 시혁과 수아가 도망가기 위해 자리에서 일어나자마자 그대로 건물 벽면에 처박혔다. 트럭은 건물 벽을 뚫고 2m 정도 들어온 뒤 멈추었다. 트럭이 박힌 곳 주변 유리창은 전부 산산조각이 나버렸고, 트럭 근처에 있던 모든 것들이 사방팔방으로 튕겨 날아갔다. 다행히도 수아 일행이 앉은 곳은 트럭이 충돌한 지점과 거리가 꽤 있었고, 혁수가 자리에서 일어나 날아온 작은 파편들을 등으로 막아준 덕분에 전혀 다치지 않았다.

하지만 건물 안은 트럭 주위부터 천천히 처참한 모습으로 바뀌었다. 먼저 트럭이 박혀버린 곳 천장이 무너지기 시작했다. 그리고 트럭이 충돌한 지점에 서 있었던 사람은 없었지만, 트럭이 건물에 박으면서 충격의 여파로 튕겨 나간 온갖 물건들이 근처 사람들에게 명중하여 일부 사람들이 크게 다쳤다.

피를 흘리며 비명을 지르는 사람, 바닥에 쓰러진 채 도움을 요청하는 사람, 비틀거리며 자리를 피하는 사람, 먹던 음식을 다 내팽개치고 도망가는 사람, 자기만 살겠다고 눈앞에 거슬리는 모든 걸 밀쳐내며 자기 갈 길을 가려는 사람 등 단 한 대의 트럭 때문에 건물 안에 있던 수백 명의 사람이 단체로 패닉에 빠졌다. 순식간에 휴게소 건물 안은 아수라장이 되었다.

"수아야, 괜찮아? 여기 오래 있으면 위험해. 빨리 밖으로 나가야 해."

시혁은 정신을 차리고 수아가 다친 곳이 없는지 확인했다. 수아는 외상은 없어 보였지만, 갑작스러운 상황에 몸이 굳어버린 듯 아무 반응도 하지 않았다. 시혁은 수아를 억지로 업고 건물 밖으로 빠져나가려고 출구로 향했다. 하지만 휴게소 내 많은 사람이 한번에 좁은 문으로 나가려고 하다가 서로 뒤엉켜 아무도 밖으로 나가지 못하는 모습을 보고는 섣불리 무리에 낄 수가 없었다.

"저쪽으로 나갑시다."

주위를 둘러보던 혁수는 충돌했던 트럭을 가리켰다. 확실히 트럭 주위에는 고통에 몸부림치며 쓰러져있는 사람 몇 명 외에는 인파가 없었다.

"무너지지 않을까요? 아니면 트럭이 폭발하지는 않을까요?"

"머리만 조심하면서 지나가면 괜찮을 겁니다. 그리고 고민하면서 시간을 낭비할수록 괜찮지 않을 확률이 점점 커집니다."

혁수와 시혁은 트럭 쪽으로 달렸다. 하지만 트럭까지 거의 도달한 혁수와 시혁은 발걸음을 멈출 수밖에 없었다.

29

트럭 때문에 무너진 건물 틈 사이로 수많은 발현자들이 건물 안으로 물밀 듯이 밀려 들어오고 있었다. 발현자들 개개인의 성별, 연령의 구분은 무의미해 보일 정도로 하나같이 머리카락은 듬성듬성 빠져있고, 옷은 찢어져서 형태를 알아보기 힘들었다. 연녹색 빛을 군데군데 띌 정도로 부패해버린 피부를 가진 발현자들이 하나같이 흐리멍덩한 눈을 간신히 뜬 채 쏟아져나왔다. 두려움에 떨고 있는 시혁이 혼잣말로 중얼거렸다.

"이송 차량이었어, 발현자 이송 차량. 전에 레이지룸 갔을 때 봤던 그런 트럭......."

건물 안으로 들이닥친 발현자들은 주변에 있는 모든 것을 닥치는 대로 공격하기 시작했다. 쓰러져있는 사람, 청소용 로봇, 건물 벽, 테이블, 식수대, 쓰레기통 등 말 그대로 모든 것을. 발현자들을 발견한 사람들은 더욱 크게 소리 지르며 도망을 다녔다. 혁수는 시혁에게 주머니에 있던 삼단봉을 주고 테이저건을 꺼내 자신에게 다가오는 남자 발현자를 쏴 쓰러뜨리며 말했다.

"다른 곳을 찾아봐야 할 것 같습니다. 제가 둘 다 완벽하게 지켜줄 수는 없으니까 그거라도 쓰십시오. 딸아이 지켜서 같이 연구소 가야 하지 않겠습니까? 테이저건은 조준해서 쏘기만 하면 되니까 수아는 제가 업고 가겠습니다."

주변의 상황에 정신을 못 차리는 시혁은 혁수의 말을 듣고 순순히 혁수에게 수아를 넘겨주었다. 겁에 질린 수아는 여전히 아무 말도 하지 않고는 그대로 혁수에게 업힌 채 혁수를 꼭 붙잡았다. 혁수는 수아를 업고 다시 한번 주위를 둘러보았다. 그러다 핫도그, 오징어, 닭강정 등을 건물 밖에 있는 사람들에게 팔 수 있게 만들어 놓은 판매대가 눈에 들어왔다.

"저기, 저기로 가서 판매대를 넘어서 밖으로 나갑시다. 빨리 따라오십시오."

혁수는 수아를 업었지만 시혁보다 더 빠른 속도로 달려가 먼저 판매대에 도착했다. 시혁도 뒤따라 판매대로 가면서 옆에서 달려오는 발현자를 삼단봉으로 정확히 머리를 때려 쓰러뜨렸다. 혁수는 판매대에 올라가 있던 물건들을 전부 바깥에 멀리 던져버리고 수아를 판매대 위에 올렸다.

"고마워요."

수아가 힘겹게 말하며 판매대를 넘어 건물 바깥으로 탈출했다. 뒤이어 혁수도 재빠르게 판매대를 넘어갔고, 방금 막 판매대에 도착한 시혁에게 손을 내밀었다.

"자, 빨리 넘어오십시오."

시혁은 왼손에 삼단봉을 쥐고 오른손으로 혁수의 손을 붙잡는다. 그때 시혁의 뒤에 따라온 발현자 한 명이 시혁을 잡아당겨 혁수는 그만 시혁을 놓치고 말았다. 혁수는 뒤로 넘어질 뻔하다가 겨우 중심을 잡았다. 하지만 시혁은 판매대를 넘지 못하고 그대로 바닥에 엎어져 버렸다.

"판매대가 음식 기름 때문에 너무 미끄러워서 놓쳐버렸습니다. 빨리 다시 일어나서 잡으십시오!"

혁수는 시혁을 붙잡고 끌어내렸던 발현자를 테이저건으

로 쏴서 쓰러뜨린 후 다시 판매대 위로 올라타 바닥에 엎어져 있는 시혁에게 손을 내밀며 소리쳤다. 하지만 판매대 바닥은 시혁의 피로 붉게 물들었다. 시혁은 바닥에 그대로 기절해버렸다.

"하, 다행이다. 괜찮아요?"

화장실 쪽에서 급하게 달려나오는 혜리가 수아와 혁수를 발견하고 달려왔다. 혁수는 다시 가판대를 넘어가 시혁을 흔들어보지만 아무 반응이 없었다.

수아 앞까지 달려온 혜리는 주변을 살펴보았다. 그리고 혁수 쪽을 바라보고는 넋을 놓은 채 이 광경을 지켜보고 있는 수아를 뒤로 돌아보게 하며 말했다.

"괜찮니, 수아야? 정신 차려봐. 네가 정신 못 차리면 널 지켜주려다 또 누군가 다치게 될지도 몰라. 정신 차려서 일단 여기를 벗어나야 해."

"네, 알... 알겠어요. 하지만 아빠가 아직 저기에 있어요."

수아는 간신히 눈물을 참고 말했다. 다시 뒤돌아보려는 수아의 고개를 붙잡고 혜리가 말했다.

"너희 아빠는 혁수 아저씨가 데리고 나올 거야. 일단 빨리 여기를 나가자."

혁수는 바닥에 축 늘어진 시혁을 들어 가판대 위에 올렸다. 뒤이어 따라온 희수와 희성이 받아 시혁을 부축했다. 얼굴부터 윗옷까지 붉은 피로 물든 시혁은 아직 깨어나지 못했기 때문에 희수와 희성이 힘겹게 질질 끌고 갔다. 뒤이어 혁수는 바로 수아에게 뛰어가 수아를 들어 올렸다. 당황한 혜리에게 혁수가 말했다.

"일단 수아는 제가 데리고 있다가 내일 약속 장소로 가겠습니다. 수아 아버지 치료를 부탁합니다."

"아니, 내가 수아를 데리고 가야......."

혜리의 말이 끝나기도 전에 혁수는 수아를 안은 채로 저 멀리 뛰어갔다. 그리고 차 안에 수아를 태우고 혁수는 사람이며 차며 자신의 차 앞을 가로막는 모든 걸 정말 한 끗차이로 피하면서 하남휴게소 출구까지 거칠게 차를 몰았다. 혁수와 수아는 겨우 휴게소를 빠져나갔다.

뒤로 돌아앉아 멀어지는 휴게소를 바라보는 수아. 그런 수아에게 혁수가 말했다.

"운전하는데 위험합니다. 안전벨트 매고 앉아주시겠습니까?"

"아빠는 괜찮겠지요? 나 때문에 빨리 못 나가서, 나 때문에......."

"그게 왜 수아 양 때문입니까. 발현자들 때문입니다. 안 다치고 무사히 탈출한 것만으로도 대단한 겁니다. 수아 양 아버지께서도 그걸 제일 바랐을 겁니다."

코를 훌쩍이며 안전띠를 매는 수아. 간신히 진정하고 고개를 겨우 들며 혁수에게 물었다.

"저희 어디로 가는 거에요? 아빠 많이 다쳤을 건데 아빠랑 같이 병원부터 가면 안 될까요?"

"오늘 최대한 연구소 근처까지 갈 겁니다. 수아 양 아버지는 혜리 님이 잘 보살펴줄 겁니다. 부하들도 있으니까 걱정 안 하셔도 됩니다."

"고, 고마워요."

수아는 기어들어가는 목소리로 혁수에게 겨우 들릴 정도로 작게 말했다. 혁수는 대답 대신 수아를 바라보며 살짝 웃어 보이고는 다시 전방으로 시선을 돌렸다. 산전수전 다 겪은 듯한 혁수의 험악한 얼굴도 수아의 눈에는 지금 전혀 무서워 보이지 않았다.

"아, 그리고 그거 창밖으로 던지는 게 좋습니다."

"어떤 거요?"

"목걸이 말입니다. 줄은 이미 끊었지 않습니까?"

당황해하며 머뭇거리는 수아. 혁수의 눈치를 보다가 결국 줄을 양손으로 잡아당겨 목걸이를 뜯어냈다. 목걸이 줄을 축 늘어뜨린 채 붉은색 장식을 손에 쥐고 있는 수아를 보고 혁수가 말했다.

"원래 계획대로라면 벌써 벗어던지면 안 되긴 하는데, 지금은 계획이 바뀌었으니까 밖에 던져버리시기 바랍니다."

혁수가 조수석 창문을 열자 수아가 바깥에 힘껏 목걸이를 던졌다. 목걸이는 도로 가드레일을 살짝 넘어가 금방 시야에서 사라져버렸다. 혁수가 다시 창문을 올리자 수아가 물었다.

"어떻게 아셨어요? 그리고 계획이라뇨?"

"희성이가 풀어줬지 않습니까? 혜리 님이 일부러 희성이를 시켜서 그렇게 해준 겁니다. 기회가 되면 목걸이를 몰래 풀어주고 최대한 줄이 풀어진 걸 저나 혜리 님에게 숨기라고."

"왜 그렇게까지 하는 거에요?"

"저도 혜리 님의 의도까진 잘 모르겠습니다. 목걸이 안에 GPS 기능도 있긴 합니다만 그게 없어도 도망갔을 때 찾는 건 어렵지 않은데 말입니다."

한편 아수라장이 된 하남휴게소. 희수와 희성은 시혁을 데리고 자신의 차에 태우고 있었고, 혜리는 건물에 박혀 있는 트럭 근처 기둥에 기대어 서서 막대사탕을 이리저리 돌려가며 먹고 있었다. 트럭에서 나이가 좀 있어 보이는 한 사내가 내렸다. 사내는 머리를 부여잡고 비틀거리며 혜리에게 다가와 말을 걸었다.

"1억 가지고는 안 되겠는데요. 1억 더 넣어주시죠?"

"1억이요? 무슨 1억이요?"

혜리는 고개를 까딱이며 막대사탕 막대기를 담배 피우듯 검지와 중지 사이에 끼운 후 입에서 꺼냈다.

"저는 이제 발현자 운송기사일 못 할 텐데 1억 더 주셔야죠. 여기저기 다치기도 했고요. 그리고 저도 다 지켜본 게 있어요, 아가씨. 백 사장님이 아가씨에게 돈 더 받으면 된다고 하셨어요."

"하, 내가 뭐 돈 퍼다가 주는 사람인가. 알겠어요. 여긴 보는 눈이 있을 수 있으니까 트럭 안에서 이야기하시죠."

혜리는 살짝 짜증을 내며 대답했다. 혜리의 반응에도 전혀 개의치 않는 사내가 먼저 트럭 화물칸에 올라타고, 혜리도 뒤따라서 화물칸으로 들어갔다. 화물칸에서 표정을 찡그리는 혜리를 본 사내가 실실 웃으며 말했다.

"냄새가 좀 많이 나죠? 이게 다 발현자들 몸에서 나는 악취에요. 흔히들 말하는 썩은 내가 몸에서 나는 거죠. 실제로 썩고 있기도 하고요. 조금 있으면 익숙해질 거예요. 곱게 자라셨나 보네."

"가상지갑 QR 띄워봐요. 바로 보내드릴게요."

사내는 콧노래를 부르며 휴대전화를 꺼내 들어 가상지

갑 QR 코드를 화면에 띄웠다. 혜리는 들고 있던 사탕 막대기를 바닥에 버렸다. 그리고 주머니에 손을 넣고 무언가를 만지작거리며, 돈 받을 생각에 정신이 팔린 사내에게 가까이 다가가 순식간에 사내의 가슴을 전기 충격기로 지져버렸다. 사내는 괴성을 지르며 괴로워하다가 바닥에 쿵 소리와 함께 쓰러졌다. 혜리는 바닥에 쓰러진 사내의 몸에 전기 충격기를 몇 번 더 지지고는 휴대전화를 꺼내 들어 어딘가로 전화했다. 곧 익숙한 남자 목소리가 휴대전화에서 들려왔다.

  - 아, 혜리 님. 제가 준 선물은 잘 받으셨는지요? 급하게 섭외했는데 덥석 잘 받아 물더라고요. 하하하.

  "나한테 돈 더 받으라는 왜 한 거야. 백 사장, 아니 백 상아리."

  - 에이, 그래야 현장에서 혜리 님 찾아갈 구실이 생기잖아요. 알아서 잘 처리하셨으니까 전화하시는 거 아니에요. 하여튼 이거는 보수에서 뺍니다. 아시죠?

  "알겠어. 끊는다."

  혜리는 전화를 끊고 반대쪽 주머니에서 수아네 집에 뿌렸던 구체와 비슷한 무언가를 기절해버린 운송기사 몸 위에 3개 올려두었다. 그리고 휴대전화로 뭔가를 입력하고는 씩씩거리며 트럭 밖으로 빠져나가 희성과 희수, 그리고 쓰러져있는 시혁이 타고 있던 차에 탑승했다. 트럭 화물칸 안에서는 곧 시커먼 연기와 함께 불길이 치솟았다.

  얼마 뒤 소방헬기가 사방에서 풍선 터지는 듯한 프로펠러 소리를 내며 휴게소에 도착했다. 소방헬기를 이용해 소방관들이 트럭에 난 화재를 진압하는 것을 뒷좌석에서 하염없이 바라보고 있는 혜리에게 희수가 물었다.

"사장님, 출발할까요?"

"일단 휴게소 밖으로 나가야겠네요. 출발하세요."

7인승 차 2열에 간신히 앉아있는 시혁은 아직 의식이 돌아오지 않은 듯했다. 하얀 헝겊으로 얼굴을 묶어두어 출혈이 더 진행되지 않도록 압박한 상태로, 코와 입 부분에 뚫린 구멍 근처 천이 숨을 쉴 때마다 파르르 떨려오는 것으로 아직 숨은 쉬고 있다는 걸 알 수 있었다. 뒷좌석에서 시혁을 툭툭 건드려보는 혜리는 아무 반응이 없자 시혁의 주머니에서 휴대전화를, 그리고 손목에서 스마트워치를 가져갔다. 그리고 자신의 전화기로 혁수에게 전화를 걸었다.

– 네, 혜리 님. 괜찮으십니까?

"나는 괜찮죠. 옆에 수아도 같이 타고 있겠네요? 스피커폰으로 같이 듣고 있나요?"

– 그렇지는 않은데 옆자리라서 충분히 들립니다.

잠시 뭔가 고민하던 혜리는 다시 말을 이어나갔다.

"음, 알겠어요. 옆에 수아 좀 바꿔줄래요?"

약간의 잡음 이후 수아의 목소리가 휴대전화 너머로 들려왔다.

– 수아에요. 아빠는 괜찮아요? 저번처럼 잘 치료해주실 거죠?

"솔직히 말할게. 그때는 응급처치만 해도 괜찮을 정도여서 어떻게 해결됐지만, 지금은 좀 다를 거 같아. 일단 최대한 빨리 병원으로 데리고 갈 거니까 걱정하지 마. 그때까진 혁수 아저씨랑 같이 잘 있으렴. 알겠지?"

－ 아빠 바꿔줄 수 있어요?

수아는 차분한 목소리로 물었다.

"아빠는 아직 말할 수 있는 상태가 아니라서 힘들겠구나. 다시 혁수 아저씨에게 전화 좀 넘겨줄 수 있겠니?"

다시 혁수가 전화를 받았다.

－ 전화 다시 받았습니다.

"약속장소로 바로 가시는 거 맞죠? 시간이 좀 늦으면 근처 숙박시설 잡고 다음날에 가구요."

－ 네, 연구소로 바로 갑니다.

"연구소요? 약속장소는......."

전화기에 대고 말을 하다가 멈추고 입술을 깨무는 혜리. 잠시 숨을 고르고 다시 말했다.

"네, 알겠습니다. 그럼 치료 끝나면 거기로 가겠습니다."

－ 네, 조심하.......

혁수의 말이 끝나기도 전에 끊어버리는 혜리. 희수가 룸미러로 화를 삭이는 듯한 혜리의 눈치를 보다가 물었다.

"저기, 사장님? 저희도 연구소로 갈까요?"

"혁수 아저씨가 굳이 수아가 검사를 받게 하고 싶어서 그러는 거 같은데, 그래도 다시 데리고 나오면 그때 해도 되겠지? 시간은 아직 며칠 여유 있는데. 혹시 만약에 잘못되면 어떡하지? 혁수 아저씨도 계획대로 안 하고 이런 적은 한 번도 없었는데. 아니면 수아가......."

혜리는 작게 혼잣말로 중얼거리느라 희수의 말을 듣지 못했다. 희수는 헛기침을 한 번 하고 조금 더 크게 말했다.

"사장님? 괜찮으십니까?"

"어, 음. 괜찮아요. 뭐라고 말했죠?"

"통화하시는 거 엿들어서 죄송합니다만 저희도 연구소로 가면 되는지 여쭤봤습니다."

"일단 서울 들어가서 가까운 성형외과로 가죠. 수아 아버지 치료해야 하니까. 그리고서 작업해야겠네요."

30

"오늘은 일단 여기서 머무르고, 내일 연구소로 가도록 하겠습니다."

혁수는 한적한 공원에 주차를 마치고 방금 잠에서 깬 수아를 바라보며 말했다. 수아는 비몽사몽 중에 눈을 비비며 혁수에게 물었다.

"여기가 어디쯤이에요? 공원 같은데."

"네, 공원 맞습니다. 서울에 있는 좀 한적한 공원으로 왔습니다. 내일 여기서 한 시간 정도만 더 가면 연구소에 도착할 겁니다."

"생각보다 더 빨리 왔네요. 실감이 안 가요."

수아는 팔다리를 앞으로 뻗으며 기지개를 쭉 켜고는 하품을 해댔다. 혁수는 안전띠를 풀며 말을 덧붙였다.

"예상보다 테러 경보로 인한 감시가 덜해서 그런 것 같습니다. 서울이 발현자 비율이 가장 높은 지역이라 그런지 인력이 많이 부족한가 봅니다."

"그런데 왜 공원으로 왔어요? 감시 때문에 그런 거예요?"

"발현자 비율이 높다고 해도 여기 근처는 워낙 인파가 많아서인지 빈 숙소가 없었습니다. 어쩔 수 없이 차에서 하루 자야 할 것 같은데 괜찮으시겠습니까? 화장실은 저쪽에 있고, 여기는 주차해 놓아도 아무도 저희에게 관심을 주지는 않을 것 같은 곳처럼 보여서 여기로 왔습니다."

확실히 혁수 말대로 서울에 있는 공원치고는 빈 차량 몇 대를 제외하면 주차장에는 아무도 없었다. 화장실 근처에 있는 벤치에는 주황색 담요가 바닥까지 흘러내린 채 버려져 있고, 그 옆에는 빈 커피 캔이 덩그러니 놓여 있었다. 관리가 제대로 되지 않아 녹슬어 버린 운동기구는 사람의 손길을 그리워하는 듯했다. 수아는 창문을 열고 고개를 빼꼼 내민 채 주위를 둘러보며 말했다.

"저는 자리만 있으면 어디서든 잘 자요. 그리고 하나만 부탁해도 돼요? 아저씨가 존댓말 쓰시는 거 좋긴 한데요, 오히려 조금 불편한 것 같아요. 조금만 더 친근하게 말해주시면 안 될까요? 그냥 저처럼 요로 끝내도 괜찮고, 반말하셔도 괜찮아요."

"습관이 되어서 힘들겠지만 노력해 보겠습니다. 아. 이제부터입니, 아니 지금부터 그럴게요."

버벅거리는 혁수를 보고 웃음을 터뜨리는 수아. 혁수도 어색하지만 따라서 웃는다. 한참을 웃다 둘은 차에서 내려 담요가 버려져 있는 벤치에 앉았다. 혁수는 차에서 가져온 오렌지 캔 음료 두 캔 중 하나를 따서 수아에게 건네주었다. 그리고 다른 한 캔을 따서 그대로 한 번에 다 마셔버리고는 바닥에 내려놓고 납작하게 밟아버렸다.

수아는 조심스레 오렌지 주스를 한 모금 홀짝이고는 혁

수에게 떨리는 목소리로 물었다.

"아까 했던 말 진심이에요?"

"어떤 말 말인가요?"

"나 때문에 아빠가 다친 게 아니라는 거 말이에요. 내가 휴게소에서 정신 차려서 빨리 빠져나왔다면, 내가 연구소로 가고 싶다고 조르지 않았더라면, 아니면 애초에 내가 면역자라는 걸 계속 숨겼거나 면역자가 아니었다면 지금쯤 아빠랑 집에서 보급받은 텁텁한 과자를 먹으면서 좀비들이 나오는 영화나 보고 있었을 텐데요."

혁수는 가만히 수아의 말을 경청했다. 수아는 계속해서 말을 이어 나갔다.

"여름이니까 바다에 놀러 가서 맨발로 부드러운 모래알 감촉을 느끼면서 바닷물에 들어가 있을 수도 있겠네요. 아저씨는 모래성 땅따먹기 놀이 알아요?"

"그게 뭔가요?"

"모래를 한가득 쌓아서 위에 나뭇가지를 꽂아두고, 모래를 조금씩 빼내는 놀이인데, 나뭇가지를 쓰러뜨리는 사람이 지는 그런 놀이에요. 아빠는 나뭇가지는 언젠가는 쓰러지지만 게임이 질려버려 그만두지 않는 이상 나뭇가지는 언제나 다시 서 있다 쓰러지기를 반복하니 부러지지만 않으면 된다고 했거든요."

수아는 자리에서 일어나 공원 구석에 방치된 듯한 모래더미로 향했다. 혁수도 수아 뒤를 따라갔다. 수아는 모래더미로 가는 길에 기다란 나뭇가지 하나를 주웠다. 둘은 말없이 쪼그려 앉아 모래 일부를 덜어 따로 작은 모래성을 만들고 위에 나뭇가지를 꽂았다. 그러고는 번갈아 가며 손으로 모래를 덜어 자기 쪽으로 끌어왔다.

모래성이 휴지 심 정도로 가늘어지자, 수아가 검지로 아랫부분의 모래를 아주 조금 덜어내면서 말했다.

"아빠는 이 정도쯤 되면 항상 이렇게 모래를 조금만 덜어냈어요. 그게 제가 해야 했던 행동이 아닐까요? 면역자인지 아닌지 알기 위해 목숨을 걸고 밤새 깨어 있거나, 아파트에 이상한 로봇이 쳐들어온 다음 날 경찰에 가지 않고 바로 연구소로 가는 건 나뭇가지를 쓰러뜨리는 정도가 아니라 나뭇가지를 부러뜨리는 행동이 아니었을까요?"

혁수는 수아의 눈치를 보다가 모래를 많이 빼내며 일부러 나뭇가지를 넘어뜨렸다. 그리고 수아에게 말했다.

"이 놀이 저도 어릴 때 많이 해봤었죠. 수아 양이나 수아 양 아버지이나, 혜리 님이나 셋 다 비유를 참 좋아하는 것 같네요. 저도 그래서 나름 곰곰이 생각해 봤는데, 저는 이 모래 자체에서도 배울 게 있다고 생각해요."

"모래에서요?"

"네, 수아 양이 계속 저에게 물어보고 아마 수아 양 자신에게도 끊임없이 물었던 질문이, 지금 수아 양과 주변 사람들이 겪고 있는 모든 일이 수아 양의 잘못된 선택 때문에 일어난 게 아니냐는 거 맞나요?"

"그렇네요......."

수아는 무릎을 안고 턱을 무릎 위에 기대었다. 혁수는 계속 말을 이어 나갔다.

"수아 양이 끌어왔던 모래와 제가 끌어왔던 모래로 3분 전 나뭇가지를 꽂은 직후의 모습으로 만들어볼래요?"

수아는 모래를 손으로 다시 끌어와 방금과 제법 비슷한

모양으로 모래성을 만들었다. 혁수는 모래성을 가리키며 수아에게 물었다.

"이 모래성이 방금 모래성과 똑같은가요?"

"최대한 똑같이 만들었어요. 조금 다르게 생겼을 수는 있는데......."

"그러면 만약에 똑같은 모양으로 만들어졌다고 하면 같은 모래성이라고 할 수 있을까요? 이 모래성 안에 있던 셀 수 없이 많은 모래는 이리 섞이고 저리 섞였을 거예요. 다시 되돌릴 수는 없지요. 하지만 그렇다고 모래알 하나하나까지 똑같이 만들어보겠다고 신경 쓰면서 모래성을 쌓을 수는 없겠지요."

혁수는 자리에서 일어나 바지에 묻은 모래를 털어냈다. 수아도 혁수를 따라 모래를 털고 다시 벤치로 향했다. 혁수는 아까 전까지 하던 이야기에 덧붙여 말했다.

"수아 양이 했던 행동들이 좋은 선택일 수도, 나쁜 선택일 수도, 그리고 여러 가지 겪었던 일들이 수아 양 때문에 생겼을 수도, 수아 양과 아무런 관계가 없이 벌어졌을 수도 있지요. 중요한 건 그런 것들은 모래알 하나하나처럼 되돌릴 수가 없다는 거예요. 모래알 하나가 틀어졌다고 성을 다시 쌓을 필요는 없다는 거죠."

곰곰이 혁수의 말을 듣고 있던 수아는 팔로 눈을 몇 번 비비고는 혁수를 바라보며 씩 웃었다. 그리고 혁수에게 엄지를 척 내밀어 보이며 말했다.

"아저씨도 꽤 잘하시네요. 덕분에 정리됐어요. 이제 연구소로 갈 일만 생각하도록 해야겠네요."

"감사합니다. 혜리 님 옆에 오래 있다 보니 저도 많이 변했나 봅니다. 이제 화장실에서 각자 손 씻고 세수 간단하게 하고 차에서 자도록 하죠. 내일 무너뜨릴 모래성을 새로 쌓아야죠."

한편 병원 앞 약국에서 나오는 혜리는 손에 검은 봉지를 들고 있었다. 뒤이어 희수와 희성이 얼굴에 온통 붕대를 칭칭 감고 있는 시혁을 부축하고 있었다. 시혁은 입, 코 부분에 조금씩 뚫려있는 구멍을 제외하곤 머리 전체가 붕대로 감겨있고, 옷은 또 하필 전체적으로 갈색 톤으로 입어서 멀리서 보면 걸어 다니는 면봉이라고 해도 믿을 모양새였다.

혜리가 시혁의 앞에 서서 말했다.

"의사가 실력이 좋네요. 어떻게 이걸 1시간 만에 해결하지? 약도 한가득 받아왔으니 어쨌든 일단 급한 건 해결했고, 몸은 좀 어때요?"

"온몸이 쑤시네요. 얼굴은 말할 것도 없고요. 눈에도 좀 구멍을 뚫어줄 수 있을까요?"

시혁은 얼굴 전체를 거의 움직이지 않고 말하느라 발음이 상당히 어눌한 상태였다.

"의사가 일단 이틀은 이렇게 있으랬어요. 저희가 최대한 안 불편하게 해드릴 테니까 걱정하지 마세요. 둘은 수아 아버지 불편하지 않게 신경 좀 잘 써줘요."

혜리는 희성과 희수를 번갈아 보며 말했다. 희성과 희수는 말없이 고개를 끄덕거렸다. 넷은 타고 왔던 차에 탑승했다. 혜리는 시혁 옆에 앉아 들고 온 검은 봉지에서 약과 주사기를 주섬주섬 꺼냈다.

"아 그리고, 마취에서 깨면 아플 수도 있으니까 받아온

약을 미리 좀 먹도록 하죠. 알약은 하나씩 밀어 넣어드리고 주사기로 물 넣어드릴게요. 약국에서 주사기도 사 왔어요."

혜리는 주사기와 약을 잠시 자리에 두고, 트렁크에서 생수 한 병과 정체불명의 하얀 약을 꺼냈다. 하얀 약 세 정을 약국에서 받은 약과 같이 손에 쥐고, 주사기를 생수에 넣어 물을 뽑아냈다. 그리고 시혁의 얼굴, 정확히 말하면 붕대를 툭툭 치고는 말했다.

"약부터 넣고 물 넣어줄게요. 약은 여섯 정인데 한번에 먹는 데 문제없죠? 고개 조금만 뒤로 젖혀보시겠어요?"

시혁은 말없이 고개를 끄덕이고 순순히 고개를 뒤로 젖혔다. 혜리는 한 알씩 직접 시혁의 입 부위에 뚫린 구멍으로 약을 밀어 넣었다. 그리고 주사기를 들고 말했다.

"자, 이제 물 들어갑니다. 약이 많으니까 몇 번 넣을게요. 괜찮으면 신호 주세요."

혜리가 세 번째로 물을 주사기로 넣어주자, 시혁은 고개를 두세 번 끄덕이고는 약을 삼켰다. 그 모습을 지켜보던 혜리가 말했다.

"이제 슬슬 어두워지네요. 수술하는 동안 회수에게 시켜서 바로 근처에 있는 무인텔 방을 어렵게 구했어요. 원래는 자리가 없었는데 웃돈을 주고 방을 하나 잡았어요. 방값보다 2 배 더 얹어주니까 말없이 바로 방 빼주셨다고 했지요?"

"네, 커플이 쓰던 방이었는데 남자 쪽에서 처음에는 막센 척하면서 못 나간다고 하다가 돈 좀 쥐여주니까 바로 웃으면서 둘이 손잡고 바로 나가더라고요."

혜리의 물음에 희수가 바로 신이 난 듯이 대답했다. 혜리는 희수를 진정시킨 후 말을 덧붙였다.

"좋아요. 그러면 바로 가볼까요? 방까지 가는 데 수아 아버지 모습 때문에 사람들이 좀 오해할 수도 있겠네요. 그래도 어쩔 수 없지만요."

혜리의 걱정과는 다르게 희수가 잡은 무인텔 방까지는 별 이상 없이 도달했다. 방에 도착하자마자 거칠게 숨을 쉬는 시혁이 여전히 붕대 때문에 어눌한 말투로 혜리에게 물었다.

"방이 꽤 덥네요. 좀 어지럽기도 하고......."

희수와 희성은 시혁을 침대에 내려놓았다. 시혁은 침대에 앉자마자 비틀비틀하더니 몸을 제대로 가누지 못하였다. 호흡은 점차 거칠어지고, 목은 타들어 가는 듯했다. 혜리가 걱정하는 말투로 시혁에게 물었다.

"괜찮으세요? 몸이 좀 많이 안 좋아 보이시는 데, 오늘 고생을 많이 해서 그런가 봐요. 피를 많이 빼서 그런가? 약은 방금 먹어서 자기 전까지는 먹으면 안 되는데, 물이라도 좀 드릴까요?"

"네, 부탁할게요. 어?"

혜리는 침대에 간신히 앉아 있는 시혁의 뒤에 앉아 시혁의 머리를 천천히 눌러 강제로 자신의 허벅지에 기대게 했다. 흠칫 놀란 시혁이 일어나려고 하지만, 혜리가 짚은 부위에 상처로 말미암은 고통이 거세져 와 더는 고개를 들어 올릴 수가 없었다.

이렇게 혜리와 가까이 붙어있으니 혜리에게서 나는 은은하지만 기분 좋은 살 냄새가 시혁의 코를 간질였다. 수많은 생각이 스쳐 지나가는 듯한 시혁과는 다르게 혜리는 전혀 아랑곳하지 않고 아무 말 없이 얼굴이 붕대로 칭칭 감긴 시혁을 위에서 올려다보며 말했다.

"저니까 진정하시고 물 드세요. 아까 약 먹을 때처럼 드릴게요."

시혁은 점점 더 빠르게, 터질 듯이 뛰는 심장 때문에 전혀 진정할 수가 없었다. 결국 혜리에게 무릎베개를 한 상태 그대로 물을 받아먹다 사레가 들려 캑캑 기침을 했다. 그러다 또 얼굴에 밀려오는 고통 때문에 괴로워하며 몸부림쳤다.

혜리는 웃으며 자리에서 일어났다. 한동안 기침과 고통 참기를 반복하던 시혁은 한참이 지나 겨우 진정했다. 혜리는 무인텔 방에 놓여있던 TV와 휴대전화를 무선으로 연결해서 '하루를 마치는 올드 팝송 모음집' 영상을 실행시키며 시혁에게 말했다.

"아마 내일은 눈 부위에 붕대 찢어서 풀어도 괜찮을 거 같아요. 그때까진 좀 심심할 거 같으니까 노래라도 같이 들으시죠."

혜리는 노래가 바뀔 때마다 꼭 도입부 멜로디를 흥얼거렸다. 몸을 제대로 가누지 못하는 시혁을 제외한 나머지 방 안에 있는 사람들은 각자 분주하게 움직이며 잘 준비를 했다. 시혁은 붕대에 작게 뚫린 구멍으로 말했다.

"혹시 지금 몇 시예요?"

머리를 말리고 있던 혜리는 방에 걸려있는 시계를 쳐다보고 대답해주었다.

"10시 1분이네요. 이제 빨리 자야겠네요. 희수와 희성은 벌써 바닥에서 자고 있네요. 수아 아버지도 약 먹고 자는 게 낫겠어요."

하지만 희수와 희성은 혜리의 말과는 다르게 방구석에 서서 말없이 혜리와 시혁을 지켜보고 있었다.

혜리는 주머니에서 영어로 '카페인 400mg'이라고 적혀있는 작은 종이케이스를 꺼냈다. 그리고 케이스에서 차에서 시혁에게 줬던 것과 똑같은 하얀 약 4 정을 꺼내 하나는 자기 입에 털어 넣고 물을 마셔 삼켰다. 그리고 차에서와 똑같이 남은 하얀 약 3 정과 약국에서 받은 약 중 2 정을 시혁에게 똑같이 삼키게 했다. 혜리는 종이케이스 뒷면을 살펴보고 다음과 같이 적힌 문구를 눈으로 읽고는 다시 주머니에 집어넣었다.

'용법: 성인의 경우 24 시간마다 최대 1 정을 복용한다. 48 시간 동안 2 정을 초과하지 않는다.

......

다음과 같은 경우 이 약의 복용을 즉각 중지하고 의사, 치과의사, 약사와 상의할 것. 상담 시 가능한 이 첨부문서를 소지할 것.

1) 이 약의 복용에 의해 다음과 같은 증상이 나타난 경우: 빠르고 불규칙한 심장박동, 방향감각 상실, 어지럼증, 설사, 갈증, 떨림, 불면'

혜리는 누워서 안절부절못하며 몸을 벌벌 떨고 있는 시혁을 바라보며 숨죽여 웃었다. 겨우 진정한 후 거친 숨을 내뱉고 있는 시혁의 어깨에 손을 올리며 말했다.

"저는 게임 좀 하다가 잘 거니까 혹시 불편한 게 있으면 말해주세요."

"저, 저기 혜리씨······."

이제는 온몸에서 나는 땀 때문에 침대가 축축해질 정도인 시혁이 가슴을 쪽을 부여잡고 간신히 혜리의 이름을 뱉었다. 혜리는 여전히 아무것도 모르는 척 능청스럽게 대답했다.

"네?"

"저 지금 도저히 잘 수가 없어요. 미치겠네요. 혹시 수면제 남는 거 있으면 주실 수 있나요?"

"수면제는 방금 희성, 희수가 먹고 잔 게 전부고 나머지는 혁수 아저씨가 평소에 들고 다니셔서요."

"제발 부탁이에요. 저 이러다 오늘 못 자면 수아, 수아는 혼자 남겨지는 거라고요. 수면제 구해서 가져다주세요. 제발······."

시혁은 지금 머리는 깨질 듯이 아파져 오고, 사막에 내던져진 물고기처럼 몸이 바짝 마르는 느낌 때문에 물을 그 누구보다도 미칠 듯이 마시고 싶었으며, 게다가 붕대 때문에 한 치 앞도 보이지 않는 상태였다. 극한의 공포감에 시달리는 시혁은 손에 만져지는 걸 마구잡이로 붙잡으려고 손을 아무렇게나 휘저었다.

혜리는 이때를 노려 시혁이 팔을 휘두르는 궤적에 자신의 팔을 가져다 대 시혁이 자신의 팔을 만지게 했다. 시혁은 무언가가 손에 닿았으니 일단 사정없이 세게 붙잡고 놓치지 않으려고 했다. 혜리는 소리 지르며 간신히 시혁의 손을 뿌리치고 얼굴을 주먹으로 내리쳤다. 괴로워하며 얼굴을 부여잡는 시혁에게 혜리가 말했다.

"정신 차리세요. 방금 수아 아버님께서 잡아당긴 것은

제 팔이에요. 저도 엄청나게 아팠어요. 지금 바로 앞에 있는 약국 갔다 올 건데, 이대로 두고 가면 희성이나 희수도 곤란해지니까 팔다리 좀 묶어놓고 갈게요. 이건 다 수아 아버님을 위해서니까 조금만 참으세요."

혜리는 매고 다니던 가방에서 검정 케이블타이를 한 다발 꺼냈다. 혜리가 희성과 희수를 쳐다보고 시혁쪽으로 고개를 까딱이자 희성과 희수도 조용히 시혁에게 다가왔다. 일반적으로 사무실에서 볼 수 있는 것보다 훨씬 두껍고 긴 케이블타이로 시혁이 얼굴을 양손으로 붙잡고 있는 틈을 타 포박에 성공했다.

자신의 팔이 포박당한 걸 느낀 시혁은 일어나기 위해 더욱더 몸부림쳤다. 혜리는 주머니에서 전기 충격기를 꺼내고는 전원을 켰다. 그러자 전기 충격기 머리 부분에 스파크가 일며 지지직 소리를 냈다.

"수아 아버지, 진짜 죄송해요. 이대로 두면 여기 있는 사람 전부 못 잘 거 같아요. 저도 좋아서 하는 게 아니라는 걸 알아주세요."

혜리는 곧바로 시혁의 목 부분에 전기 충격기를 가져다 대고는 시혁이 도저히 움직이지 못할 때까지 지져버리며 매우 급한 목소리로 말했다. 시혁이 움직이지 못하는 사이 시혁의 발목에도 케이블타이를 하나 감고, 손목과 발목에 각각 케이블타이 4개를 더 사용해서 절대 풀어질 일이 없도록 했다. 마지막으로 혜리는 희성이 건네준 손수건을 시혁의 입에 뚫린 구멍에 밀어 넣어 시혁이 소리를 지를 수 없게 만들어버렸다.

시혁은 힘겹게 앓는 소리를 내며 경련을 일으키고 있었

다. 희수가 시혁을 지켜보고 있는 동안 혜리와 희성은 잠시 건물 밖으로 나갔다.

밤은 깊어졌고 적막한 밤거리에는 가로등의 희미한 불빛만이 외로운 도시를 비추고 있었다. 그 중 단 하나의 차가운 불빛 아래에서만 낮은 시 플랫 음의 음산한 종소리가 흘러나오는 스피커가 걸려있었다. 마치 가로등 불빛이 오랜만에 자신의 목소리를 들어주는 혜리와 희수에게 외로움을 표출하는 것 같았다. 가로등 아래에서 혜리가 희성에게 말했다.

"여기는 고요의 밤을 알리는 소리가 무슨 공포영화 배경음 같네요. 금방이라도 뭔가가 불쑥 튀어나와야만 할 것 같아요."

"괜찮을까요?"

희성은 약간 걱정하는 말투로 혜리에게 물었다. 혜리도 희성에게 다시 물었다.

"뭐가요? 우리는 괜찮죠."

"수아 아버지 말이에요. 너무 괴로워하던데 죽어버리면 어떡하지요?"

"에이, 죽을 정도는 아니에요. 카페인 성인 권장 섭취량보다 몇 배로 먹이긴 했는데, 잠은 절대 못 자고 몸에 이상 증세는 좀 올 수 있어도 그걸로 사람이 쉽게 죽어버리지는 않더라고요. 옛날에 동생에게 먹여봐서 잘 알아요."

어떻게 반응해야 할지 몰라 혜리의 눈치를 살펴보는 희성. 혜리는 희성의 눈치에도 아랑곳하지 않고 계속 말을 이어나갔다.

"에이, 너무 그렇게 보지 마세요. 걔도 동의하고 먹은 거란 말이에요. 어쨌든 일단 저도 아까 한 알 먹었어요. 오늘 밤새 수아 아버지 상태를 좀 지켜볼 거니까요. 둘은 제가 방에 들어가면 모텔 주차장 차 안에서 푹 자도록 하세요. 더 편한 곳 있으면 좋을 텐데 지금 이 시간에는 찾기 힘들 거 같네요. 시간이 얼마 안 남았으니 수면제 한 알씩 먹는 거 잊지 말고요."

희성은 말없이 고개를 숙였다가 천천히 다시 고개를 들었다. 혜리는 희성을 보고 뒤이어 가볍게 고개를 까딱이고는 말을 이어나갔다.

"약국 간다고 둘러대고 나왔으니까 한 5 분만 있다가 들어가죠. 그나저나 요즘 생활은 좀 어때요? 힘들거나 그런 거 없어요?"

"네, 덕분에 저나 희수나 정말 잘 지내고 있습니다. 항상 감사하게 생각하고 있습니다."

"에이, 저도 도움 많이 받고 있는 걸요. 이참에 이번 일 끝나면 부모님 모시고 휴가나 갔다 와요. 저랑 혁수 아저씨도 한 3 일은 쉴 거 같거든요. 3 일이면 일본 여행 보내드리면 좋아하시겠네요. 제가 여행비 정도는 넣어 드릴 수 있으니까 여유 되면 갔다 오세요."

"정말 감사합니다. 사장님 아니었으면 저희는 정말......."

"낯간지럽게 그러지 말고 야경 구경이나 하다 가요. 종소리도 계속 들으니까 느낌 있네요. 세상이 끝나버린 것 같은 그런 느낌이 들어요. 오늘은 생각보다는 안 덥네요."

손사래 치며 희성의 말을 끊는 혜리는 어두운 거리를 둘러보며 구경하다 눈을 감았다. 그리고 종소리에 맞춰 콧노래를 부르다가 종소리가 멎자 희성과 같이 다시 건물 안으로 들어갔다.

31

"드디어 다 왔습니다. 아침 일찍 움직여서 그런지 점심 시간도 되기 전에 도착했네요. 광고에서 봤던 건물보다 실물이 눈에 더 잘 들어오는 것 같습니다."

혁수의 말에 조수석에서 졸고 있다가 고개를 든 수아는 반대편 길에 보이는 연구소를 보고 감탄했다. 연구소 건물 디자인은 주변의 천편일률적인 다른 건물들과 비교하면 훨씬 현대적이고 독창적이었다. 건물의 전면은 회색 콘크리트로 되어 있었지만, 바라보는 방향에 따라 모양이 다르게 보이는 비정형의 곡선을 띈 형태였다. 그리고 태양의 각도에 따라 다양한 색상의 빛을 반사하는 특수한 재료로 만들어진 유리판들이 군데군데 붙어 있었다. 건물의 꼭대기에 있는 돔 형태의 붉은 철골 구조물도 눈에 들어왔다. 한동안 눈부신 연구소 건물을 넋 놓고 바라보던 수아가 말했다.

"오기까지 정말 많은 일이 있었어요. 연구소에 온 게 실감이 전혀 안 되네요. 아빠와 같이 오면 더 좋았을 텐데 말이에요."

혁수는 아무 말도 하지 않고 수아를 바라보았다. 수아는 혁수의 시선을 의식하지 못하고 연구소 건물만을 바라보며 혁수에게 물었다.

"혹시 혜리 언니에게 연락 안 왔어요? 아니면 지금 연구소 들어가기 전에 한번 해보면 안 될까요?"

"문자는 남겨 놨는데 연락은 따로 오지 않았습니다. 보통 제가 연락하면 아무리 늦어도 30 분 내로 보시는 데 조금 이상하네요. 일단 좌회전해서 입구로 들어가겠습니다."

차량이 연구소 건물로 진입하려고 하자 정문 앞에 서 있던 보안 담당자가 차량을 멈춰 세웠다. 검은 모자, 검은 마스크, 검은 유니폼까지 모든 복장을 검은색으로 통일시킨 담당자는 운전석 쪽으로 다가와 차량 유리를 두드렸다. 혁수가 창문을 살짝 내리자 보안 담당자가 먼저 말을 꺼냈다.

"안녕하십니까, 무슨 일로 오셨나요?"

"면역자 검사받으러 왔습니다. 옆에 있는 제 조카가 면역자입니다."

갑작스러운 혁수의 조카라는 호칭에 잠시 머뭇거리던 수아는 생각을 정리하며 혁수의 말에 이어서 말했다.

"네, 얼마 전에 전화로 예약했던 정수아라고 합니다. 아빠가 사정이 생겨서 대신 외삼촌이랑 같이 왔어요."

"정수아 라는 이름 한 번 확인해주세요. 초등학생인 것 같습니다."

담당자는 차에서 살짝 떨어져서 무전기에다 대고 수아의 신원을 확인해달라고 요청했다. 무전기 너머 직원과 잠시 대화를 하던 담당자는 무전기를 끄고 곧 다시 운전석으로 다가와 말했다.

"네, 확인되었습니다. 하지만 지금 타시고 계신 차는 진입이 불가능합니다. 최근 테러 사건 때문에 사전에 등록

된 차량이 아니면 연구소에 출입을 허용할 수가 없습니다. 저기 앞에 보시면 주차전용건물 하나 있는데, 거기다 차를 주차해주시고 와주시면 감사하겠습니다."

보안 담당자는 들고 있던 빨간 경비봉으로 차들이 가득 주차된 건물을 가리켰다.

"네, 알겠습니다. 차만 저쪽에 주차해두고 몸만 오면 출입이 가능한 겁니까?"

혁수의 물음에 담당자가 대답했다.

"금속탐지기로 확인이 끝나면 1 층까지는 바로 출입 가능합니다. 거기서 개인정보수집, 제공 동의서 작성 후 인적사항 확인까지 마치면 안에 계신 분이 안내해 주실 겁니다."

"네, 알겠습니다. 금방 다시 오겠습니다."

혁수는 차를 돌려 주차전용건물로 향했다. 그리고 혁수는 수아에게 조심스럽게 말했다.

"잠시 차에서 먼저 내리실래요?"

"왜요?"

"연구소 가기 전 준비를 하려는 데, 조금 부적절한 물건들이 많이 있습니다. 저를 안 무서워하셨으면 좋겠거든요. 부탁입니다. 내려서 잠시 차 반대편을 보고 있어주실 수 있을까요?"

"괜찮은데......."

수아는 잠시 머뭇대다 차에서 내려 혁수가 시키는 대로 차 반대편에 주차된 다른 차를 쳐다봤다. 혁수는 수아가 뒤로 돌아보는 걸 확인하고는 조수석 앞 서랍 문을 열었다. 그리고 주머니와 옷 구석구석에서 물건들을 하나씩 꺼내 서랍 안에 넣기 시작했다.

발현자들을 제압하기 위해 사용했던 전기 충격기, 왼쪽 양말과 오른쪽 양말에서 나온 각기 다른 모양을 가진 묵색 광택의 단검이 제일 먼저 서랍 안으로 들어갔다. 그리고 혁수는 상의 안으로 손을 넣더니 띠가 매달린 가죽 대검 집을 밖으로 꺼냈다. 대검 집 안에서 팔목에서 팔꿈치까지 닿을 정도로 기다란 날이 시퍼렇게 서 있는 대검을 꺼내 확인한 후 다시 대검 집에 넣고 마찬가지로 서랍에 집어넣었다. 그 외에도 몸 곳곳에서 접이식 삼단봉, 너클, 더 많은 날붙이를 꺼내 모조리 서랍에 넣고는 서랍 문을 닫았다.

혁수가 차에서 내리자 수아는 다시 뒤로 돌아 혁수에게 다가가 물었다.

"뭔가 꺼낼 게 많았나 보네요. 아저씨 말대로 보지는 않았지만 봤어도 무서워하지는 않았을 거에요. 저는 아저씨 믿어요. 새삼스럽게 안 그러셔도 돼요."

수아가 먼저 혁수의 손을 잡자, 긴장한 모습이 역력한 혁수도 수아의 손을 잡고 같이 연구소로 걸어갔다. 조금 전 정문에서 건물을 지키고 있던 보안담당자가 금속탐지기로 혁수의 몸을 훑자 삑 소리와 함께 탐지기에서 빨간 빛이 깜빡거렸다. 혁수는 주머니에서 휴대전화를 꺼내 수아에게 잠시 맡겨두고 다시 검사를 받자, 이번에는 아무 문제 없이 통과했다. 수아도 별문제 없이 검사를 통과한 후, 담당자는 주머니에서 검정 보안스티커를 꺼내 혁수의 휴대전화에 달린 카메라 렌즈마다 하나씩 붙여주며 말했다.

"나오실 때 여기서 스티커 붙어있는지 확인하고 직접 떼어 드릴 거니까, 그전까지는 절대 떼어내지 마시기 바랍니다. 저기 1 층으로 가시면 안내해주시는 분이 있으니 그대로 쭉 가시면 됩니다."

1 층 로비에 다다르자 곧 새하얀 실험복을 입은 젊은 남성 연구원 한 명이 남색의 태블릿 PC 를 들고 혁수와 수아를 맞이하고 있었다. 연구원이 가볍게 인사를 하며 말했다.

"안녕하십니까, 저는 한국감염병연구소 Zzz 바이러스 TF 연구원 임형준이라고 합니다. 저와 같이 Zzz 바이러스 연구실로 들어가기 전에 먼저 신원조회를 위한 개인정보수집, 제공 동의서 서명이 필요합니다. 성함이랑 생년월일이 어떻게 되시죠?"

"구혁수입니다. 78 년 10 월 9 일생입니다. 저는 저번에 들어온 적이 있는데 똑같이 진행해야 하나요?"

"한번 확인해보겠습니다. 잠시만 기다려주세요. 아, 네. 그렇네요. 확인했습니다. 옆에 있는 수아 양은 정보가 없어서 동의가 필요한데, 생년월일이 어떻게 되나요?"

수아는 혁수 대신 바로 대답했다.

"2023 년 1 월 22 일입니다. 4.2kg 으로 건강하게 세상에 나왔어요."

"이야, 정말 건강하게 태어났었나 보구나. 엄마께서 꽤 고생하셨겠는걸?"

수아의 뜬금없는 대답에 형준은 웃음을 터트렸다. 수아는 혁수를 보며 씩 웃어 보였고, 겨우 마음을 추스르고 진정시킨 형준은 혁수를 보며 말했다.

"보호자께서 대신 서명해주세요. 여기, 여기, 그리고 여기 서명해주시고, 끝나면 사진 촬영 한 번만 하겠습니다."

형준은 태블릿 PC 화면을 넘기며 혁수가 서명할 곳을 터치펜으로 짚어주고 펜을 건네주었다. 혁수가 서명을 마치고 나서 형준은 태블릿 PC 와 터치펜을 돌려받고는 태블릿 PC 를 세워서 들어 수아의 얼굴을 왼쪽, 오른쪽, 그리고 정면에서 한 번씩 촬영했다.

촬영이 끝나고 수아와 혁수, 그리고 형준은 방금 막 위로 올라가 버린 엘리베이터 앞에서 잠시 대기했다. 기다리는 동안 갑자기 형준이 혁수에게 하소연을 했다.

"바이러스에 면역인 것 같다고 하며 연구소에 방문해주신 분들이 예전보다는 현저히 줄었네요. 그중에서도 진짜 면역력을 가지고 찾아오신 분들은 얼마 안 됩니다. 면역력을 가지고 있다고 전부 치료제 개발에 도움이 될 정도의 항체를 가지고 있는 것도 아니지만요. 이번에는 달랐으면 좋겠습니다."

"이번에는 도움이 될 겁니다. 혹시 면역력이 없는 데 찾아오시는 분들은 이유가 있나요? 잠을 잤는데 안 잤다고 착각해서인가요?"

"그런 분들도 계시지만, 초창기에는 순전히 자신이 면역자인지 아닌지 궁금해서 검사를 받으시는 분들이 많이 계셨습니다. 광고가 나간 지 두세 달쯤 지나니까 대부분은 없어졌지만요. 그리고 증상이 발현되고 나서 연구소에서 어떻게든 치료받아보겠다고 오시는 분들도 종종 있는데, 사실 하루만 안 자도 티가 나니까 정문에서 대부분 걸러지는 셈이죠."

엘리베이터 문이 열리고 셋은 엘리베이터 안으로 들어 갔다. 엘리베이터에서는 향긋한 라벤더 향이 코를 가볍게 간질였다. 엘리베이터 문이 닫히자 수아가 형준에게 물었다.

"면역자 중에서 실제로 치료제 만드는 데 도움이 됐던 사람은 얼마나 있어요?"

"한 20~25% 정도? 네다섯 명 중 한 명만 도움이 되는 거야. 생각하기 나름인데 나는 꽤 확률이 높다고 보거든."

"아......."

수아는 혜리가 전에 했던 말을 떠올려보았다. 그리고 다시 한번 질문했다.

"그럼 나머지 면역자에게서는 아무 도움도 받을 수 없는 건가요?"

"안타깝지만 그런 셈이야. 물론 지금 이 상황에서 면역력을 가지고 있는 것만으로도 축복받은 인간이지만, 우리가 찾는 사람은 아닌 거지."

"제가 여기서 찾는 사람이었으면 좋겠네요."

"나도 그래. 그런 사람을 못 찾은 지 꽤 오래됐거든."

띵동 소리와 함께 엘리베이터 문이 천천히 열렸다. 형준이 먼저 내리자 수아와 혁수도 따라 내렸다. 정면에 있는 유리문 위에는 'Zzz 바이러스 TF'라고 적혀있는 현판이 부착되어 있었다. 유리문 너머는 벽으로 따로 구분되어 있지는 않았지만 크게 세 공간으로 나뉘어 있는 듯했다.

가장 우측 공간은 비커, 페트리접시, 피펫, 플라스크, 현미경과 같은 작은 실험 도구부터, 초고속 원심분리기, 유동 세포계수기, 세포 배양 장비 같은 크기가 크고 고가의 장비들까지 한눈에 봐도 실험실 분위기를 풍기는 도구들이 비치되어 있었다. 그리고 하얀 실험복을 입은 수많은 사람이 분주하게 움직이고 있었다.

반대편 좌측 공간은 실험실보다는 좁지만, 건강검진을 전문으로 하는 병원 실내와 같은 디자인으로 구성되어 있었다. 커튼으로 가려놓은 작은 방 여럿과 커튼으로 채 가려지지 않아 검진실임을 방 바깥에서도 알 수 있는 작은 방 여럿이 마련되어있다. 벽에 나란히 붙어있는 대기용 의자와 소파에는 아무도 앉아있지 않았다.

중간 공간은 영락없는 회사 사무실이었다. 책상이 여러 줄로 나란히 나열되어 있고, 각 책상 사이에는 사진, 메모, 연락처 등 여러 잡다한 것들이 붙어있는 칸막이로 구분되어 있었다. 책상 위에는 컴퓨터, 전화기, 각종 업무용 자료, 문구류, 달력, 휴대전화 충전기, 먹다 남은 커피 등 회사 사무실 책상 위에 있을법한 물건들로 떠올릴만한 것들이 그대로 놓여있었다.

형준이 유리문 바로 앞 정맥인식기에 손등을 가져다 대자 문이 좌우로 열렸다. 형준이 자신의 뒤에서 유리문 너머 공간을 구경하던 수아와 혁수를 보며 말했다.

"여기 공간이 좀 정신없죠? 저희는 일단 좌측으로 갈 겁니다. 따라오세요. 간이검사를 먼저 진행하고, 양성으로 나오면 정밀검사 진행할 겁니다."

형준은 가장 좌측에 있던 작은 방의 커튼을 살짝 열어 안을 살펴보고는 커튼을 활짝 열어 안으로 들어갔다. 그리고 뒤따라 들어온 수아에게 말하며 책상 반대편으로 갔다.

"의자에 잠시 앉아있을래? 지금 간단하게 두 가지를 진행할 건데 하나는 채혈, 즉 피를 좀 뽑을 거고, 다른 하나는 타액 검사라고 침으로 하는 검사를 할 거야. 잠시만."

수아는 책상 앞 의자에 앉아 검지로 무릎을 두드렸다. 혁수는 수아의 뒤에 서 있었다. 책상 서랍에서 주사기, 압박띠, 팔베개, 폐기 용기, 반창고, 소독용 알코올 솜이 담긴 통, 빨간색 뚜껑을 가진 얇은 진공 튜브, 보라색 뚜껑을 가진 두꺼운 진공 튜브를 꺼내 책상 위에 올려놓는 형준은 긴장한 듯한 표정으로 앉아있는 수아에게 가볍게 물었다.

"주사가 무섭니?"

"아니요, 저는 어릴 때부터 주사 맞는다고 울지는 않았어요. 그냥 긴장이 조금 되네요."

"긴장은 풀어도 돼. 주사 맞을 때 쓰는 팔 내밀어 볼래? 연필 쥐는 팔 반대쪽 팔이면 돼."

수아가 왼팔을 내밀자 형준은 수아의 팔에 압박띠를 묶고, 소독용 알코올 솜으로 정맥을 찌를 자리를 닦아내었다. 그리고 곧 주삿바늘을 찔러 안전하게 피를 뽑아냈다. 수아는 자신의 팔을 바라보다가 차가운 바늘이 피부에 닿는 감촉이 느껴지자 잠깐 다른 곳을 바라보며 움찔했지만 이내 긴장이 풀린 듯했다. 어느새 수아의 왼팔에 묶여있던 압박띠는 풀려있고, 주사 맞은 곳에는 반창고가 붙어있었다. 형준은 채혈 튜브를 정리하고, 보라색 뚜껑의 두꺼운 진공 튜브를 손에 들고 뚜껑을 열어 수아에게 건네주며 말했다.

"이제 아픈 건 다 했고, 여기에 침을 좀 뱉어주렴. 레몬 먹어 봤니?"

"아니요. 엄청 시다고는 들었는데 실제로 먹어본 적은 없어요."

수아는 튜브를 받아들고 튜브 안을 바라보며 대답했다.

"음, 그럼 귤이나 식초는?"

"귤은 많이 먹어 봤어요."

"그럼 엄청 신 귤을 먹고 있다고 상상해봐. 그러면 침이 금방 고일 거야. 어느 정도 있어야 검사가 정확하게 되니까, 많이 모았다가 잘 뱉어봐."

수아는 눈을 감고 형준의 말대로 귤을 먹는 자신의 모습을 상상했다. 먼저 탱글탱글한 귤 하나를 손에 들고 조심스럽게 귤껍질을 벗기는 모습이 떠오르자 코에서 새콤한 귤 향기가 나는 듯했다. 이어서 껍질 속에 숨어있던 과육의 절반을 떼어내어 그대로 입에 넣자 상큼하고 달콤하면서도 얼굴이 찌푸려질 정도로 신맛이 혀를 타고 온몸에 전해지는 듯했다. 곧 수아의 입속은 침으로 가득 찼고 어렵지 않게 튜브 안에 침을 모을 수 있었다.

수아가 다시 건네준 튜브를 받아서 뚜껑을 닫는 형준은 튜브 2개를 들고 자리에서 일어나며 말했다.

"수아야, 수고했어. 검사 결과는 점심시간 지나서 한 2시쯤에 나올 거니까 그때까지는 연구소 안에 있는 식당에서 밥 먹고 좀 쉬고 있으렴."

"혹시 식당은 어디에 있습니까?"

가만히 지켜보고 있던 혁수가 형준에게 물었다. 그러자

형준이 대답했다.

"식당은 1 층에 있고, 2 시에 1 층에서 기다리시면 제가 결과를 말씀드릴게요. 저는 이거 분석기에 돌리고 나서 할 일이 있어서 둘이서 드셔야 할 거 같네요. 그때 가서 더 이야기하시죠."

"알겠습니다. 감사합니다."

1 층에 있는 식당에 도착한 수아와 혁수는 각자 먹을 만큼 밥과 반찬을 담아 동그란 테이블에 앉았다. 식판 위에는 흰 쌀밥, 김치, 시금치, 불고기, 미역국, 오징어채, 콩자반, 그리고 방울토마토 몇 개가 올라가 있었다. 콩자반을 젓가락으로 하나 집다가 실패한 수아가 미역국에 밥을 말고 있는 혁수에게 물었다.

"방금 했던 검사는 당연히 통과할 거고, 다음에 하는 검사가 뭔지 궁금하네요. 혹시 혜리 언니랑 왔을 때 어떤 검사 했는지 기억나요?"

"피 뽑고 침 모아서 하는 검사를 할 때까지는 혜리 님과 같이 있었는데, 그 뒤에 하는 검사는 혜리 님 혼자서 받으셔서 잘 모르겠습니다. 수아 양은 어리니까 제가 보호자로서 같이 들어가도 될지도 모르겠네요."

"왜 혼자서 받았어요?"

"그땐 면역자가 아니면 못 들어가게 했습니다. 하지만 제가 저번에 여기에 방문했을 때는 면역자 중에 초등학생 이하는 못 본 거 같으니 이번에는 다를 수도 있습니다."

대화가 끝난 후 둘은 말없이 점심을 마무리하고 다시 로비로 향했다. 한두 시간 전 정신없이 연구소 정문을 통과했을 때와는 다르게 1 층 로비에 있는 여러 요소가 눈에 들어오기 시작했다.

로비는 깔끔한 대리석 바닥이 깔린 광활한 공간이었다. 로비의 한쪽 벽 설치된 거대한 스크린에서는 수아와 시혁이 집에서 같이 보았던 연구소 광고가 마침 흘러나오고 있었다. 막 볶은듯한 향긋한 커피 향은 스크린 옆에 있는 단정한 카페에서 새어나왔다. 로비의 중앙에는 원형의 테이블과 의자가 여럿 배치되어 있었지만 이용하는 사람이 아무도 없어 수아와 혁수가 독차지하였다.

수아와 혁수는 의자에 앉아 아무 말 없이 로비 스크린에서 나오는 영상을 쳐다보고 있었다. 광고, 뉴스, 연구소 인터뷰, 연구소 소개가 3 번째 반복될 때쯤 엘리베이터에서 형준이 수아를 부르며 빠른 걸음으로 다가왔다. 수아는 자리에서 일어나며 형준에게 말했다.

"드디어 오셨네요. 지루해 죽는 줄 알았어요. 저기 화면에 다른 영상도 좀 넣어주면 안 될까요?"

"나중에 한 번 문의해볼게요. 그리고 다시 한 번 연구소에 와주셔서 감사합니다. 간이검사 결과는 예상하셨겠지만 면역자로 나왔고요. 바로 정밀검사를 진행하고 싶은데, 정밀검사는 면역자만 움직이는 게 원칙이라서요."

"애가 너무 어린 데 제가 같이 가야 하지 않겠습니까? 검사를 오랫동안 진행할 것 같이 들렸는데 말입니다."

뒤이어 일어난 혁수가 형준에게 묻자 형준이 대답했다.

"몸에 크게 부담 가는 검사는 없을 겁니다. 작년에 8 살 남자아이도 무리 없이 했었으니까요. 여기 오늘 진행할 검사 내용을 출력해왔으니까 각자 받으시고 궁금한 점 있으면 지금 물어봐 주세요."

형준은 수아와 혁수에게 작은 글씨로 빼곡하게 출력된 종이 한 장씩을 전달해주었다. 종이를 들여다보며 걱정하는 혁수에게 수아가 팔로 톡톡 건드리며 말했다.

　"아저씨, 아니 외삼촌, 괜찮아요. 무슨 검사인지는 모르겠지만 이 정도는 아무것도 아니에요. 다녀올 테니까 걱정하지 말고 있어요."

　"아, 그리고 하나 더 드릴 게 있습니다."

　형준이 주머니에서 열쇠 하나를 꺼내 혁수에게 넘겨주었다. 열쇠에는 '204'라고 적혀있는 주황색 태그가 같이 달려있었다. 혁수가 형준에게 열쇠를 받으며 물었다.

　"웬 열쇱니까?"

　"건물 정문에서 바로 옆으로 나가면 작은 별관 건물이 있는데, 거기서 오늘 하루 주무시면 됩니다. 식사는 점심 드셨던 곳에서 드셔도 되고 잠시 나가서 드셔도 됩니다. 다시 연구소 구역으로 들어올 때는 앞에 지키시는 분에게 열쇠만 보여주시면 됩니다. 결과가 내일 나오다 보니 면역자분과 같이 오신 분들께는 임시 숙소를 제공하게 되어 있거든요. 올해 예산 지원이 잘 되어서요. 대구에서 올라오셨으니까 숙소에서 주무시는 게 편할 겁니다."

　혁수는 열쇠를 주머니에 챙기고 형준에게 다시 말했다.

　"언제쯤 검사가 끝나는 겁니까? 아이와 연락할 수단이 없어 미리 제가 여기 나와 있어야 할 거 같습니다."

　"5시간 정도 걸린다고 보시면 됩니다. 제가 204호실에 같이 가서 직접 모셔다 드리겠습니다."

　"아니요, 그냥 제가 한 시간 전쯤부터 나와서 기다리고 있겠습니다. 혹시 제가 없으면 조금 기다렸다가 204호실에 데려다 줬으면 합니다."

"네, 알겠습니다. 그럼 이제 검사받으러 갈까요?"

형준은 뒤로 돌아 엘리베이터로 향했다. 수아는 혁수에게 손을 과할 정도로 열심히 흔들어 인사하고는 형준을 따라 엘리베이터로 들어갔다. 혁수는 엘리베이터 문이 닫히는 걸 확인하고는 로비 밖으로 나가 연구소 건물을 빙 둘러 걷다가 멈춰 섰다. 그리고 휴대전화를 꺼내 잠시 한숨을 쉬고는 어딘가로 전화를 걸었다.

– 참 빨리도 전화하시네요. 아직 연구소인가요?

전화 너머로 들리는 혜리 목소리. 혁수는 건물 벽에 등을 기대며 대답했다.

"지금은 연구소 건물 밖에서 전화 중입니다. 수아는 정밀검사 받으러 갔습니다. 계획대로 행동하지 않은 건 죄송하지만 그래도 수아 양이 연구소에서 검사는 받아봐야......."

– 됐어요. 이미 벌어진 일은 벌어진 거고, 조금 돌아가게 됐지만 괜찮아요. 설마 이대로 연구소에 계속 둘 건 아니잖아요? 수아 아버지도 있고.

"수아 아버지는 어떻게 됐습니까?"

– 계획대로 됐죠. 이제 며칠 안 남았어요.

"결과가 내일 나온다니까 내일 다시 연락드리겠습니다."

– 딴생각하지 마세요. 아저씨가 수아에게 드는 생각은 이해는 하지만 우리 둘이서만 50 억 먹으려고 이러는 거 아니잖아요. 수아 아버지 상태 보러 가야 하니까 끊을게요.

"정말 이해하고 계신 거 맞습니까?"

하지만 전화는 이미 끊어진 후였다. 사실 혁수의 마지막 말은 혜리가 전화를 끊고 나서 일부러 하소연하듯 늦게 말한 것처럼 보이기도 했다.

32

혜리와 시혁이 어제부터 묵었던 무인텔. 혜리는 전화를 끊고 하품하며 희성과 희수에게 말했다.

"이제 됐으니까 입에 넣었던 수건은 빼보세요. 어제 잠을 안 잤더니 피곤해서 하품이 계속 나오네."

희성과 희수는 의자에 묶여있던 시혁에게 다가갔다. 희성은 아직 붕대가 감겨있는 시혁의 얼굴을 붙잡았다. 그리고 희수는 시혁의 입에 있던 수건을 잡아당겨 빼내 시혁의 무릎 위에 올려놓았다. 마른기침을 연거푸 하는 것 외에는 아무 말도 하지 못하는 시혁. 어제와는 다르게 눈쪽에 감겨있던 붕대가 찢어져 있었지만, 가끔 시뻘겋게 충혈된 눈을 보이는 것 외에는 눈을 제대로 뜨지 못하고 있었다. 혜리가 시혁의 앞에 의자를 끌어와 앉고는 시혁을 바라보며 말했다.

"수아는 지금 연구소에서 정밀 검사받고 있대요. 치료제 개발에 도움 안 되는 체질이면 좋겠는데, 검사하기 전까지는 아무도 모르죠."

"수... 수아....... 다행이다......."

시혁은 완전 쉰 목소리로 겨우 말을 내뱉었다. 시혁의 감긴 눈에서는 말라붙은 눈물 자국을 따라 다시 눈물이 흘러나오며 붕대를 적셨다.

"아빠는 이 지경이 되어버렸는데 딸이 빨리 와줘야 구할 수 있을 텐데 말이에요."

"나는... 괜찮아......."

혜리는 얼굴을 찌푸리고 희수를 바라보며 말했다.

"생각보다 상태가 더 안 좋네요. 길어봤자 사흘이겠는걸. 봉지로 다시 덮어놔요."

희수는 침대 위에 있던 종량제 봉투를 시혁의 얼굴에 씌웠다. 혜리는 자리에서 일어나 어딘가로 전화를 걸었다. 잔잔한 클래식 통화 연결음이 들리다가 곧 전화가 연결되었다. 혜리가 먼저 말했다.

"백상아리. 장씨폐차장이에요. 계획이 살짝 바뀌었어요. 접선 장소를 바꾸고 싶어요. 대신 아이를 넘겨주면 바로 수술대로 데리고 가면 될 거니까 더 편할 거예요."

– 좋습니다. 시간은 변경이 없습니까?

"내일 오후 5시에 한국감염병연구소에 들어갈 거니까 4시까지 연구소 앞 공영주차장에서 보기로 하죠. 혹시 15인승 정도 되는 승합차를 가지고 와주실 수 있나요? 저, 직원 하나, 발현자 하나, 면역자 하나 이렇게 4명은 탈 건데 공간이 좀 넉넉해야 할 거예요."

– 네, 가능합니다. 더 필요한 게 있으면 말씀해 주세요.

"없습니다. 혹시 직접 오실 건가요?"

– 부하 둘 데리고 직접 가보려고 합니다. 그러면 그때 뵙겠습니다.

"알겠습니다."

혜리는 전화를 끊고 주머니에서 사탕 하나를 꺼내 입에

넣고는 이리저리 굴려 가며 먹으면서 생각을 정리하는 듯했다. 희수가 눈치를 보다 혜리에게 물었다.

"내일 점심 먹고 출발하면 되겠습니까?"

"조금 일찍 나가서 주차장에서 기다리고 있죠. 저는 내일 점심은 거를 건데 둘은 편한 대로 하세요. 힘을 써야할 수도 있으니까 에너지바라도 좀 먹는 게 좋을 거예요."

한편 수아와 형준은 다시 엘리베이터에서 내려 Zzz 바이러스 TF 사무실 좌측으로 들어갔다. 형준은 간이 검사를 했던 곳보다는 훨씬 큰 검사실 안으로 수아를 안내했다. 검사실 안에는 이미 여자 연구원 둘이 검사 준비를 하고 있었다. 형준이 뒤따라 들어온 수아에게 말했다.

"정밀검사는 여기 두 분께서 진행해 주실 거야. 끝나면 다시 데리러 올게. 알겠지?"

"네, 알겠어요."

"수정아, 혹시 정밀검사 동안 이 애가 입을 검진복 있어?"

형준은 초음파 검사기기를 조정하고 있던 여자 연구원을 쳐다보며 물었다. 대신 문진표에다가 열심히 뭔가를 적고 있던 지현 연구원이 옆에 있던 종이가방에서 연분홍색 검진복을 꺼내 수아에게 건네주며 말했다.

"일단 제일 작은 걸로 들고 왔는데, 한 번 입어봐요."

"그럼 갈게. 둘은 수고하고 끝나면 문자로 연락해 줘."

형준은 밖으로 나가며 검사실 문을 닫았다. 수아는 검사실 구석에서 주섬주섬 검진복으로 갈아입고 제자리에서 천천히 한 바퀴 돌며 검진복 입은 자기 모습을 관찰했다. 옷 크기가 커서 팔을 아무리 뻗어보아도 손은 보이지 않앚고, 바지는 밟힌 채 바닥에 질질 끌렸다. 큰 치수의 옷을 불편해하는 수아를 보고 지현이 다가가 소매와 바짓가랑이를 걷어주고 다시 문진표를 보며 말했다.

"정수아. 생년월일 230122 맞나요?"

"네, 맞아요."

"이제부터 정밀검사 진행할 건데요. 미성년자에게는 먼저 고지해야 할 내용이 있어서요."

지현은 일정한 톤으로 나긋나긋하게 주의 사항을 하나씩 읽어주었다. 처음에는 집중해서 듣던 수아도 내용이 길어지자, 나중에는 '동의하시나요?'라는 말이 나올 때마다 '네'라고 대답하는 자동응답 기계가 되어버렸다. 약 10분간의 지루한 시간이 지나자 어느새 지현의 손에는 주사기가 들려있었고 수아는 주사를 맞은 후 침대 위에 누워있게 되었다. 지현은 주사기를 내려놓고 수아에게 말했다.

"숫자를 10에서부터 1까지 거꾸로 세어 볼 거예요. 같이 따라 해주세요. 십."

"십."

"구."

"구."

"팔."

"……"

수아의 시야는 천천히 흐려졌고 눈꺼풀이 점차 무거워지는 느낌을 제대로 의식하지도 못한 채 눈이 감겼다. 그리고 다시 눈을 떴을 때는 방금과는 다른 천장을 바라보고 있었다. 침대 양옆에는 커튼이 쳐져 있었다. 수아가 부스럭 소리를 내며 일어나자, 검사실에 들어왔을 때 초음파 검사기기를 조정하던 수정이 커튼을 열고 수아에게 말했다.

"수고하셨어요. 옷은 침대 아래에 있으니까 천천히 갈아입고 나오세요."

수아는 아무 대답 없이 아직 몽롱한 상태로 자리에서 일어나 옷을 갈아입고 침대 밖으로 나왔다. 수정은 비틀거리며 침대 밖으로 나온 수아에게 다가가 옷매무시를 단정하게 고쳐주고는 간이책상 앞 원형 의자에 앉혔다. 수아는 마른세수를 한 번 하고 주위를 둘러보았다.

커튼으로 구분된 바퀴 달린 침대 몇 개, 간이 책상과 의자, 컴퓨터 등 평범한 검진실에 있을 법한 물건들 사이에 있던 일반 검진실과는 어울리지 않는 거대한 전동 셔터가 눈에 들어왔다. 빨간색 글씨로 커다랗게 적혀있는 경고 문구와 그 옆에 덕지덕지 붙어있는 원색의 경고 표지들, 트럭으로 들이박아도 멀쩡할 것 같을 정도로 지나치게 두꺼운 셔터를 넋 놓고 바라보고 있는 수아에게 수정이 손가락을 튕기며 말했다.

"방금까지 저기서 검사를 진행했어요. 워낙 조심히 다뤄야 할 장비들이 많아서 저렇게 과하게 막아둔 거예요. 정확한 결과는 내일까지 더 나와봐야 알지만, 지금까지 간략하게 나온 결괏값만 봐서는 검사해 본 어느 사람보다 수치가 높게 나와서, 오류가 난 게 아니라면 거의 확정이라고 보시면 돼요."

"정말요? 그럼 이제 치료제 만들 수 있는 거예요?"

"음...... 정확히 말하면 가능성이 높아진 거죠. 일단 내일 저희 연구소장님이랑 얘기하는 걸로 하고, 오늘은 숙소에서 푹 쉬세요. 아마 형준 선배가 숙소 열쇠는 같이 오신 분에게 줬을 거예요. 연락했으니까 곧 올 거예요."

"감사합니다!"

수아는 몽롱한 기운에서 아직 벗어나지 못한 채 어눌하지만 큰 소리로 대답했다. 흠칫 놀란 수정은 계속 말을 이어 나갔다.

"그리고 오늘은 목욕하지 말고, 여러 가지 검사하느라 몸 안팎으로 이상한 느낌이 들 수도 있는데 자연스러운 거니까 걱정 안 해도 돼요. 혹시 많이 아프면 다시 저희 찾아오세요."

수정의 말을 들은 수아는 게슴츠레 실눈을 하고서 양팔로 자기 몸을 더듬어보았다. 한참을 그러다 뭔가 떠오른 듯 행동을 멈추고 수정에게 물었다.

"연구소장님이면, 광고에 나오는 사람 맞죠?"

"네, 맞아요. 소장님이 지금 출장 중이셔서 화상 통화 통해서 이야기하실 거 같네요. 화면 띄워서 화상 통화하는 방이 따로 있으니까 내일 형준 선배 따라서 가면 될 거예요."

그때 검사실 문이 열리고 형준이 안으로 들어와 수정에게 말했다.

"검사 다 끝났지? 수고했다. 오늘 회식 있으니까 먼저 가. 내가 인솔하고 뒷정리하고 갈게."

"회식 가기 싫어서 일부러 버티는 거죠? 제가 해도 되는데."

"에이, 무슨 소리야. 내가 데리고 왔으니까 내가 해야지.

빨리 가. 사람들 기다려."

투덜거리며 먼저 밖으로 나가는 수정. 형준은 수정이 앉은 자리에 앉아 컴퓨터 모니터를 들여다보았다. 한참을 아무런 말 없이 들여다보던 형준은 컴퓨터를 끄고 자리에서 일어나며 말했다.

"이제 밖으로 나갈까요? 외삼촌분이 1 층에서 기다리고 계실 거예요."

형준은 수아를 부축하며 같이 1 층 로비로 향했다. 엘리베이터 문이 열리자 계속 엘리베이터 쪽만 바라보고 있었던 것 같은 혁수가 한걸음에 달려왔다. 형준이 먼저 혁수에게 말을 꺼냈다.

"검사는 다 끝났고요. 마취하고 깬 지 얼마 안 되어서 한 3 시간 정도는 있었던 일이나 들었던 말을 기억 못 할 수도 있습니다. 주의 사항은 제가 문자로 남겨드릴게요. 숙소 열쇠는 제가 드렸었죠?"

"네, 숙소에 짐을 미리 풀어놨습니다. 결과는 어떻습니까?"

"결과는 내일 오전이면 나올 거 같은데, 대강 나온 수치들은 유례없을 정도로 높게 나와 오류인지 아니면 정말 맞는 수치인지 분석해 봐야 알 것 같네요. 연락처 주시면 제가 내일 오전에 결과 나오는 대로 연락드릴게요."

형준과 혁수는 서로 연락처를 주고받았다. 그리고 할 일이 있다며 다시 엘리베이터로 뛰어가는 형준을 뒤로하고 수아와 혁수는 연구소 건물 밖으로 나갔다. 출구를 통과하자마자 수아가 혁수에게 물었다.

"혹시 제가 검사받는 동안 언니나 아빠에게서 연락 안

왔어요?"

"연락이 왔었습니다. 당분간은 의사 선생님께서 안정을 취하는 게 좋다고 하셔서 오늘은 못 오지만 내일은 올 수 있을 것 같습니다. 내일 정밀검사 결과 나오면 다시 연락 주기로 했습니다."

"아쉽네요. 빨리 보고 싶었는데. 어쩔 수 없죠. 검사받느라 배고프네요. 저녁이나 먹으러 가요. 가만히 누워있었는데 피를 많이 빼서 그런지 힘이 없네요."

"연구소 밖에 식당이 좀 있던데 밖에서 먹을까요? 바깥 공기도 쐴 겸 해서 밖에서 걷는 게 좋을 것 같습니다."

"좋아요. 바로 가요. 엇."

수아는 비틀거리며 걷다가 앞으로 고꾸라질 뻔했다. 다행히 혁수가 순간적으로 수아를 잡아 넘어지지는 않았다. 혁수는 수아 앞에서 수그려 앉아 등을 내밀어 업히라는 신호를 보냈다. 수아는 부끄러워하며 작은 목소리로 괜찮다고는 했지만 결국 마지못해 혁수에게 업혔다. 혁수가 수아를 업은 채 일어나 연구소 구역 밖으로 천천히 걸어가자 수아는 떨어지지 않기 위해 혁수를 꼭 붙잡으며 말했다.

"고마워요. 그때도 아저씨가 이렇게 업혀줘서 겨우 빠져나왔는데. 혹시 혜리 언니도 어릴 때 이렇게 업어주셨나요?"

"혜리 님도 어릴 때는 저에게 업히는 걸 정말 좋아했었습니다. 혜리 님 아버지께서는 가족과 떨어져 있는 시기가 많았고, 저에게 혜리 님을 돌봐달라고 자주 부탁했었습니다. 저도 그리 가정적인 사람은 아니라 처음에는 힘

들었지만 자주 시간을 같이 보내다 보니 언제부턴가는 저
도 혜리 님도 서로 스스럼없이 지내는 사이가 됐었네요."

연구소 밖을 나와 식당가를 걷는 혁수. 연구소 앞 식당
가에는 술집, 포차가 주를 이루고 닭갈비, 곱창, 수제비,
김치찜 같은 한식집과 초밥, 라멘, 덮밥 같은 일식집, 그
리고 양식, 중식 식당이 군데군데 자리 잡고 있었다. 수아
는 혁수에게 업힌 채 물었다.

"혜리 언니랑은 뭐 하면서 시간 보냈어요?"

혁수는 잠시 추억에 젖은 채 생각하다 입을 열었다.

"집 근처에 동물원에 자주 갔었던 기억이 납니다. 그렇
게 규모가 큰 동물원은 아니었지만, 그래도 사자, 호랑이,
원숭이, 공작새, 앵무새, 여우 같은 있을 법한 동물은 있
었던 그런 곳이었네요. 동물 보는 건 좋았지만 걸어 다니
는 걸 싫어했는지 저에게 자주 업힌 채 관람했었습니다."

"그냥 아저씨에게 업히는 게 좋았던 건 아닐까요?"

"그건 혜리 님 본인만 알 수 있을 것 같네요. 이제 슬
슬 메뉴를 정해야 할 듯합니다."

"이제 아까보다 괜찮아졌어요. 저도 걸을래요. 내려 줄
래요?"

혁수가 천천히 수아를 내려주고, 수아는 곧 주위를 둘
러보다 곧 한 곳을 가리켰다.

"저 햄버거 먹을래요."

수아가 가리킨 곳은 간판에 가게 이름은 작게 적혀있어
눈에 잘 들어오지 않고 햄버거 캐릭터가 웃고 있는 그림
만 눈에 띄는 수제버거 가게였다. 1층에 흰 모자를 쓰고
있는 사장님에게 주문하고 수아와 혁수는 2층으로 올라

갔다. 둘은 햄버거를 먹으며 이런저런 얘기를 나누며 숙소로 돌아가기 전까지 행복한 시간을 보냈다.

33

다음 날 오후, 형준의 연락을 받은 혁수와 수아는 연구소 로비로 부리나케 달려갔다. 그곳에는 형준과 몇 명의 사람이 한창 이야기를 나누고 있었다. 형준이 혁수를 발견하고는 혁수에게 다가가 손에 들고 있던 종이 한 장을 건네주며 말했다.

"어제 나왔던 수치가 오류가 아니었네요. 모든 수치가 기준을 한참 넘어서고 있습니다."

"그 말은……"

"수아의 도움이 있으면 치료제 개발에 박차를 가할 수 있습니다. 일단 소장님과 말씀을 좀 나눠보시고 자세한 건 그 후에 설명드리겠습니다."

좋아서 팔짝팔짝 뛰는 수아. 하지만 형준과 이야기하던 사람들의 표정은 제각각이었다. 연구원들의 반응을 지켜보던 혁수가 먼저 이상한 낌새를 눈치챈 듯한 표정을 지었지만 아무 말 없이 형준과 수아를 따라갔다.

수아와 혁수는 형준과 다른 연구원들을 따라 엘리베이터를 타고 지하로 향했다. 엘리베이터 문이 열리자, 수아가 정밀검사실에서 보았던 철문보다 몇 배는 큰 철문이 자리 잡고 있었다. 형준은 철문 옆에 있는 작은 방으로 안내했다. 다른 연구원들은 엘리베이터 앞에서 기다리고 있고, 수아와 혁수만 형준을 따라 방으로 들어갔다.

방 안에는 81인치 정도 되는 TV 모니터 하나만 벽에 덩그러니 걸려있었다. 천장도, 벽도, 심지어 바닥도 새하얀 색으로 어떠한 무늬도 없는 방에는 지금 형준, 수아, 혁수, 천장에 달린 은은한 LED 조명, 그리고 TV 모니터만 있었다. 형준이 방문을 닫고 모니터를 바라보며 말했다.

"솜누스, 연결해 줘."

모니터 전원이 켜지고 통화 신호음이 들리더니 곧 화면에서 사람 형상이 흐릿하게 비쳤다. 그러다 곧 뚜렷해지더니 광고에서 봤던 최용현 연구소장의 얼굴이 나타났다. 연구소장이 먼저 말했다.

"안녕하십니까, 연구소장 최용현이라고 합니다. 먼저 이렇게 치료제 개발을 위해 지원해 주셔서 감사의 말씀 드립니다. 대화를 더 이어 나가기 전에, 저는 이미 작년에 이 세상을 떠난 사람이라는 점을 먼저 인지시켜 드리려고 합니다."

"네?"

혁수와 수아는 당황한 표정으로 형준을 바라보았다. 형준은 예상한 반응이었다는 듯 태연하게 말했다.

"연구소장님이 설명해 줄 겁니다. 계속 보시면 됩니다."

"놀라신 건 압니다만 저는 제가 죽기 오래전부터 제 행동 패턴과 대화 패턴을 꾸준히 AI에 학습시켜서, 지금 제가 하는 말을 99.9999%는 제가 살아있었다면 했을 말, 행동과 동일하게 구현되도록 업로드 해놓았습니다. 기술이 좋지요?"

"혹시 그렇게 하신 이유가 있습니까?"

혁수가 묻자, 화면 속 연구소장이 대답했다.

"지금부터 하는 이야기를 잘 들어주시고 판단해 주시면 좋겠습니다. 지금 나누는 대화로 인해 치료제 개발을 위해 지원해 주신 분의 생각이 바뀌어도 좋습니다. 그래도 꼭 들어야만 한다고 생각합니다. 제가 바로 Zzz 바이러스를 세상에 내보내게 된 장본인입니다."

"네? 아저씨가 바이러스를 만들었다고요?"

수아는 떨리는 목소리로 화면에 다가가며 물었다. 연구소장은 고개를 끄덕이고 말을 덧붙였다.

"정확히 말하면 제 의도와는 다른 바이러스를 만든 셈입니다. 저에게는 저보다 4 살 어린 사랑스러운 아내가 있었습니다. 4 살 차이면 궁합도 안 본다는 말이 있듯 저희는 운명처럼 이끌린 채 만나서 결혼하고 그 누구보다도 행복하게 살았었습니다. 제 아내가 원인 모를 불면증에 시달리기 전까지는 말입니다."

아무 말 없이 듣고 있는 수아와 혁수. 형준은 이미 많이 들었던 내용이라는 듯 휴대전화를 만지작거리고 있었다. 연구소장이 계속 말을 이어 나갔다.

"처음에는 일시적인 증상이라고 생각했습니다. 어떤 날에는 생각이 많아져서, 어떤 날에는 위층에서 들리는 소음 때문에, 또 어떤 날에는 날이 너무 더워서 등등 사소하지만, 그럴 법한 이유로 가끔 잠을 설치는 건 줄 알았습니다. 알고 보니 잠을 이루기가 힘드니까 어느 새부터인가 외부에서 이유를 억지로 찾는 것이었습니다. 결국, 병원에도 갔지만 스트레스, 유전병, 주변 환경, 식습관 등

등 인터넷만 찾아봐도 알 법한 설명만 하지 뚜렷한 원인은 못 잡아냈습니다. 어쩔 수 없이 약만 계속 처방해서 먹였었죠."

연구소장은 헛기침을 한 번 했다. 열심히 듣고 있던 수아가 갑자기 손을 든 채 물었다.

"지금 저희와 이야기하고 있는 아저씨는 프로그램 같은 거 맞죠? 프로그램도 기침하나요?"

"예리하네요. 제가 평소에 목이 자주 건조해져서 길게 말하면 헛기침을 하는 게 습관이었는데, 그것까지 같이 데이터로 입력되어서 그런 듯합니다. 어디까지 이야기했었죠?"

"아내분이 병원에서 준 약을 계속 먹었다는 이야기까지 했습니다."

혁수의 대답에 연구소장은 잠시 뜸을 들이다가 말했다.

"네. 아내는 디펜히드라민, 독시라민 같은 항히스타민제 성분 약부터, 트리아졸람, 졸피뎀 같은 항정신성약, 멜라토닌 제제 등 여러 종류의 약을 처방받아 먹었습니다. 이런 약들은 대부분 의존성이 강하고 먹으면 먹을수록 몸에서 내성이 생기기 때문에 주의해야 하지만 잠을 못 자 미칠 것 같은 사람에게는 그런 건 중요하지 않았었죠. 결국 내성 때문에 약도 효과가 없어지자 점점 사람이 망가지더라고요. 아내는 제가 집을 잠시 비운 사이에 집 밖으로 나가 도로 한복판을 건너다가 트럭에 치여 죽었는데 길을 건너다 죽은 건지 괴로워서 스스로 트럭에 몸을 던진 건지는 아내만 답을 알겠지요."

"그래서 세상에 복수라도 하려는 거예요? 다른 사람은

아무 잘못이 없잖아요."

수아가 표정을 찌푸리며 비난했다. 하지만 연구소장은 침착하게 답했다.

"오히려 반대입니다. 저는 제 아내가 죽기 전까지 잠을 제대로 자지 못해 얼마나 괴로워했는지 옆에서 너무 생생하게 봤기 때문에 더 이상 불면증으로 고통받는 사람이 있어서는 안 된다고 생각했거든요. 그래서 불면증 치료를 목적으로 강제로 밤이 되면 잠을 자게 하는 합성 바이러스를 설계했습니다."

"여기는 감염병연구소잖아요."

조금 누그러진 듯한 수아의 반응에 연구소장이 대답했다.

"감염병연구소는 맞지만, 연구 예산이 부족해서 이것저것 돈 될 만한 것들을 많이 병행하고 있습니다. 신사업이라는 핑계로 제가 추진했었는데, 처음에는 효과가 있었죠. 동물 실험도 정상적으로 통과하고, 임상시험도 무난하게 통과했었죠. 돌연변이가 생기기 전까지는 말이에요."

"그러니까, 지금 연구소 내에서 당신을 포함한 연구원들이 저지른 실수를 주워 담기 위해 본인들이 노력하는 상황이라는 겁니까? 이걸 지금 저희에게 이야기하는 이유가 아직 이해가 안 됩니다."

너무 말이 길어지는 듯하여 혁수가 말을 끊고 먼저 선수를 쳤다. 화면 속 연구소장은 당황하지 않고 대답했다.

"면역자분들이 여기까지 와서 도움을 주려는 사람들은 일차적으로는 Zzz 바이러스 때문에 노심초사하면서 사는 사람들과 발현자들이지만 결국 우리 연구소에다가 힘을 실어주는 셈입니다. 그래서 적어도 면역자분들은 이러한 뒷이야기를 알고 의사결정을 하는 게 옳다고 생각합니다. 저희도 저희 실수를 만회하기 위해 다방면으로 노력하고 있긴 하지만, 이 모든 것들이 저희의 잘못이니까요."

"이 사실이 바깥에 알려지는 건 두렵지 않으세요?"

수아가 묻자 형준이 대신 대답했다.

"그런 내용은 이미 소위 가짜뉴스, 찌라시로 충분히 도는 내용이라 아무 관련이 없습니다. 증거도 없고, 부정해 버리면 그만이니까요."

"형준 씨가 얘기한 게 맞습니다. 그리고 제 말을 듣고 발길을 돌아선 면역자는 세 분 계셨지만 셋 다 우리 연구소를 비방하시지는 않으셨거든요. 생각할 시간을 조금 드리겠습니다. 혹시 궁금한 게 있으면 얼마든지 물어보세요."

연구소장의 말을 듣고 잠시 고민하는 수아. 그러다 화면을 바라보고 질문했다.

"혹시 제가 여전히 치료제 개발에 도움이 되고 싶다고 하면, 어떻게 도움을 줄 수 있는 건가요? 그냥 제 피만 많이 있으면 되는 건가요?"

"혹시 아직 설명 안 드렸나요?"

연구소장이 형준을 바라보며 묻자 형준이 대답했다.

"네, 여기 이야기가 끝나면 현장에서 설명해 드리려고 했습니다."

"그러면 직접 보여주시고 결정이 끝나면 저에게 다시 와주시겠습니까? 더 궁금한 내용이 없으면 이제 전원 끄셔도 됩니다."

수아와 혁수는 아무 말도 하지 않았다. 지켜보던 형준

이 모니터를 끄고 나가는 문을 열며 수아와 혁수에게 말했다.

"이제부터 궁금해하셨던 '어떻게?'에 대해 설명해 드리려고 합니다. 따라와 주세요."

셋은 다시 엘리베이터 앞에 보았던 커다란 철문 앞에 섰다. 형준은 정맥 인식기 앞에 서서 팔등을 비추기 전 뒤를 돌아 수아에게 말했다.

"준비됐니?"

"네, 저는 준비 됐어요."

긴장한 표정의 수아를 다시 뒤로한 채 형준은 정맥 인식기 안에 팔을 집어넣었다. 그러자 딩동 소리와 함께 철문 안에서 수많은 기계장치가 돌아가는 소리가 났다. 형준이 인식기에서 팔을 빼고 말했다.

"한 1분 정도 지나야 열리니까 조금만 기다려주세요."

문이 미세하게 떨리기 시작하더니 천장에 달린 사이렌에서도 소리가 나며 빨간 불빛을 내뿜었다. 시간이 조금 더 지나자 드디어 문 반대편 공간이 보이기 시작했다. 사람 세 명이 넉넉하게 지나갈 정도로 문이 열리자, 형준은 오른쪽 문에 달린 버튼을 눌러 문을 멈추게 했다. 철문 사이로는 약간 어둡고 음침한 통로만 보일 뿐이었다.

형준이 먼저 문을 통과하고 혁수와 수아도 문을 지나가 새로운 공간으로 들어섰다. 형준이 벽 구석에 있는 스위치를 올리자, 천장에 달린 조명들이 하나둘 켜지기 시작했다. 혁수와 수아 모두 눈앞에 펼쳐진 광경에 더 이상한 걸음도 더 걸을 수가 없었다.

문틈으로 보였던 어두운 통로 좌측에는 검은색 배수판

위에 초록빛을 내는 유리 캡슐이 사람 한 명이 겨우 지나갈 만큼의 간격을 두고 두 줄로 배열되어 있었다. 캡슐 안에는 드문드문 기포가 올라오는 투명한 액체 속에 몸 이곳저곳에 관이 연결된 동물들이 캡슐 하나당 한 마리씩 잠들어 있고, 다들 자연스러운 자세로 평온하고 온화한 표정을 짓고 있었다. 포유류인 토끼, 개, 고양이, 돼지, 원숭이가 각자 덩치보다는 여유 있는 유리 캡슐 안에서 눈을 감은 채 이따금 몸을 뒤척였다.

몸에 연결된 관은 전부 유리 캡슐 상단부에 달린 구체와 연결되어 있었고, 구체에서 위로 뻗은 관 한 쌍은 각각 천장으로 연결되어 있었다. 통로 우측에 나열된 불빛이 깜빡거리는 기계들도 마찬가지로 천장에서 다시 나온 관들과 연결되어 있었다.

형준은 다시 수아와 혁수 쪽으로 걸어왔다. 형준이 다가오자 겁먹고 뒷걸음치는 수아를 보고 차분하게 말했다.

"처음 보면 무섭고 두려운 광경인 건 잘 알아요. 그래도 여기 있는 동물들은 평온하게 잠을 자는 것이고, 추출 주기가 지나면 안전하게 깨워서 돌려보내고 있어요. 하지만 동물들이 가진 수면 호르몬은 인간의 것과는 다른 부분이 있어서 인간의 샘플이 필요한 거예요. 그리고 이곳에 동물만 있는 게 아니라 사람도 두 분 있어요. 따라와 주세요."

"어린아이가 볼 광경은 확실히 아닌 거 같은데, 여기서 그만하고 돌아갑시다. 당신들 연구는 잘하는 데 사람 마음은 전혀 모르는 거 같습니다."

혁수도 마찬가지로 형준을 경계하며 조용히 타일렀다.

그러자 형준은 갑자기 바닥에 무릎을 꿇었다. 그리고 간절한 목소리로 말했다.

"정말 죄송합니다. 여기까지 오신 면역자가 정말 오랜만이고 수아는 지금까지 봤던 면역자 중에 가장 데이터가 좋은 면역자라서 조급해졌던 것 같습니다. 면역자이기 전에 한 명의 사람이고 아직 나이가 어린 걸 제가 미처 생각하지 못했네요."

혁수는 말없이 형준에게 다가가 형준을 강제로 일으켜 세웠다. 그리고 한 마디 더 뱉으려는 그때 수아가 먼저 기어들어 가는 목소리로 꺼냈다.

"사람, 볼래요."

"고마워요. 정말 고마워요. 사람은 저기 제일 먼 쪽에 있어요. 한 명은 군 제대하고 복학한 대학생이고, 다른 한 명은 올해 80 살이 되신 할아버지예요. 같이 갈까요?"

형준은 기뻐하며 먼저 앞서서 가기 시작했다. 수아는 최대한 우측을 바라보며 따라가고, 수아가 잠든 동물들을 애써 보지 않기 위해 노력하고 있다는 걸 눈치챈 혁수는 수아의 좌측에 서서 유리 캡슐 속에 있는 동물들이 시야에 들어오지 않도록 했다. 어느 순간 형준이 걸음을 멈추고 뒤로 돌아보며 말했다.

"여기 이 두 배양기에 들어가 계신 분들이 지금 우리 연구소에 큰 도움이 되는 분들이십니다. 그리고 여기 옆에 있는 배양기들이 지금 비어있는 인간 전용 배양기입니다."

형준이 멈춰 선 곳에는 대학생과 할아버지가 정체불명의 액체 속에서 잠을 자는 배양기와, 빈 배양기 세 대가 나란히 놓여있었다. 수아는 배양기 속 두 사람을 뚫어져라 쳐다보았다. 두 사람도 앞에 봤던 동물들처럼 팔, 다리, 가슴, 배, 등에 각각 작은 관이 연결되어 있었고, 인공호흡 마스크를 착용한 채 액체 속에서 평온한 표정으로 잠을 자고 있었다. 형준은 배양기 앞 모니터를 검지로 몇 번 밀어 확인한 후 수아에게 말했다.

"만약에 여기에 남기로 한다면, 짧으면 2개월에서 길면 2년 정도 여기에서 지내게 될 거야. 지금까지는 ZSE와 PSE 수치가 높을수록 치료제 개발에 효과적인 샘플임과 동시에 딥 슬립 과정에서 벗어나기 어려운 경향을 보였으니 2년보다 조금 더 걸릴 수도 있지만, 건강에 이상이 생기진 않으니 걱정하지 않아도 돼."

"아이가 알아듣기 좋도록 조금만 더 쉽게 설명해 주시겠습니까?"

수아 대신 혁수가 형준에게 묻자, 형준이 대답했다.

"수아가 지금까지 왔던 지원자분들 중 가장 수치가 높으니, 치료제 개발 성공 확률은 가장 높지만 그만큼 늦게 깨어날 수도 있다는 이야기입니다. 그래도 그동안은 행복한 꿈을 꾸면서 시간을 보내게 될 거고, 저희가 최상의 상태로 관리하기 때문에 몸에 큰 무리는 안 갈 겁니다. 지금까지 동물들을 포함해서 단 한 건도 문제는 발생하지 않았거든요."

수아는 여전히 아무 말 없이 배양기만 바라보고 있었다. 혁수가 대신 형준에게 물었다.

"그럼, 수아가 자원해서 여기에 남는다면 치료제 개발은 확실히 성공할 수 있는 건가요?"

"동물, 사람 관계없이 어느 개체보다 가능성이 가장 높습니다. 100% 장담할 수는 없지만, 저는 분명 유의미한 결과가 있을 거라고 믿습니다. 그리고 만약 치료제로 사용할 수 없더라도, 한 가지 더 도움이 될 방법이 있습니다. 저기 오른쪽에 놓여있는 장비들이 보이시나요?"

형준이 가리키는 방향으로 혁수도 돌아섰다. 형준이 계속 말을 이어 나갔다.

"Zzz 바이러스가 증상을 일으키기 시작한 한 달 동안 수많은 사람이 잠을 자지 못해 미쳐버리거나 걸어 다니는 시체가 되어버렸습니다. 하지만 그 뒤로 불면증에 시달리는 사람이 확연하게 줄었는데 그 이유가 뭔지 아십니까?"

"애초에 잠을 잘 자지 못하던 사람들이 한 달 안에 대부분 발현자가 되어버린 게 아닙니까? 그리고 처음 문제가 생겼을 때는 최소 3 시간에서 4 시간 정도만 자도 큰 문제가 없었던 걸로 기억합니다."

혁수의 대답을 들은 형준이 잠시 고민하다 말을 덧붙였다.

"그것도 맞습니다. 하지만 숨은 공신이 바로 저기 있는 장비에서 만든 SER 입니다. 수면유도제에도 넣고 있지만 공기 중에 확산시켜서 자연스럽게 밤에 잘 수 있도록 도와줄 수 있는 성분이기도 합니다. 면역자에게서는 공통적으로 SER 의 전구체 물질이 일반인들보다 수 배에서 수십 배가 분비되기 때문에, 직접적인 해결 방법은 아니더라도 충분히 도움이 됩니다."

"일단 여기서 나가면 안 될까요?"

어느새 형준의 앞으로 다가간 수아가 형준에게 말했다.

형준은 고개를 끄덕이고는 다시 지상으로 올라가는 엘리베이터까지 안내했다. 철문이 닫힌 걸 확인하고 엘리베이터 버튼을 누르는 형준의 손가락은 왠지 힘이 없어 보였다.

엘리베이터를 한참 기다리는 동안 유지된 침묵을 수아가 엘리베이터에 타면서 먼저 한숨과 함께 깨뜨렸다.

"여기까지 정말 오느라 고생도 많이 했고 어떻게든 사람들에게 도움이 되고 싶어서, 그리고 백조 왕자의 엘리사 공주가 되고 싶어서 지원할까 고민을 많이 했는데 결정을 내리기가 이렇게 힘들 줄은 몰랐네요. 지금은 그냥 집으로 돌아가서 아빠랑 단둘이 지내고 싶은데, 제가 너무 이기적인 걸까요?"

차분한 듯하지만 몸을 떨고 있는 수아에게 아무 말도 하지 못하는 형준 대신 혁수가 대답했다.

"절대 이기적이지 않습니다. 사람들을 도와주기 위해서 온갖 고생이란 고생은 다하면서도 포기하지 않고 여기까지 온 것만 해도 대단한 겁니다. 나이나 성별, 비위와는 관계가 없지요. 방금 본 것들, 들은 것들 때문에 마음이 꺾이더라도 아무도 비난할 사람은 없습니다. 조금 더 마음을 가라앉히고 시간을 가지고 고민을 해봐도 좋고, 시간이 해결할 수 있는 정도가 아니라고 생각해서 지금 바로 집에 돌아가도 그것도 다 공주가 아닌 수아 자신의 작은 선택인 겁니다."

"알겠어요. 조금 진정은 되지만 고민은 조금 더 해볼게요. 일단 오늘은 조금 쉬고 싶어요."

수아의 대답과 함께 엘리베이터는 1층 로비에 도착했

다. 수아를 놓칠세라 전전긍긍하던 형준도 약간은 진정이 된 듯 차분하게 말했다.

"제가 너무 조급하게 군 것 같습니다. 부담 갖지 말고 천천히 생각해 보세요. 그리고 혹시 궁금한 점이 있으면 전화해 주세요. 숙소는 제가 잘 말해놓을 테니까 계속 쓰셔도 되고 편한 대로 하시면 될 것 같습니다. 제가 저기서 커피랑 음료수라도 한 잔씩 사드릴게요. 드시고 천천히 쉬다가 나가세요."

형준은 빠른 걸음으로 카페로 향했다. 로비에 비치된 테이블에 잠시 앉는 수아와 혁수. 꽤 오랜 시간 어색한 침묵이 흘렀다. 한참 무언가를 고민하던 수아가 혁수에게 웃어 보이며 말했다.

"방금은 고마웠어요. 혜리 언니가 왜 아저씨에게 많이 의지하는지 알겠네요."

"그렇지? 내가 얼마나 혁수 아저씨에게 의지하는지 몰라."

혁수가 대답하기도 전에 마스크를 쓰고 있는 혜리가 테이블 자리에 앉아있는 수아의 뒤편에서 불쑥 튀어나오며 말했다.

34

"혜리 언니?"

갑작스러운 혜리의 등장에 깜짝 놀란 수아. 혜리는 마스크를 벗고 혁수에게 말했다.

"조금 일찍 왔어요. 타이밍이 괜찮았지요? 방금 막 끝난 것으로 보였는데."

"아빠랑 같이 온 거예요? 아빠는 어디 있어요?"

아무 말 없는 혁수 대신 수아가 혜리에게 물었다. 혜리는 굳은 표정으로 대답했다.

"지금 연구소 입구 밖에 있어. 그런데 지금 아빠는 연구소에 들어올 수가 없는 상황이야."

"왜요? 아빠도 전에 전화했을 때 나랑 같이 등록했는데. 혹시 다른 곳도 많이 다쳐서 의사 선생님이 움직이지 말라고 그랬어요?"

혜리는 주위 눈치를 보다가 수아에게 귓속말로 말했다.

"여기서 이야기하기는 좀 그래. 직접 보면서 이야기하는 게 맞는 것 같아."

혜리는 수아의 손을 잡고 밖으로 데리고 나가려고 했다. 그때 양손에 커피와 요구르트 음료를 들고 테이블로 오던 형준이 혜리를 발견했다. 형준이 혜리를 경계하면서 조심스레 물었다.

"저기, 누구시죠? 여기엔 어떻게 들어온 거죠? 그리고 왜 갑자기 수아를 데리고 가려는 겁니까?"

"수아 아빠 모시고 온 사람입니다. 수아 아버지 몸이 편찮으셔서 연구소 건물 출입이 힘드시거든요. 그래서 제가 대리로 잠시 들어와서 수아를 데리러 왔습니다."

혜리의 말을 들은 형준이 의아해하며 혁수를 바라보자 혁수가 말했다.

"네, 수아 아버지를 이 근처에서 만나기로 했습니다. 지금 수아 아버지는 수아가 자신에게 올바른 결정을 하기 위해서 가장 필요한 사람입니다. 급하게 나가게 돼서 죄송합니다. 나중에 연락드리겠습니다."

수아와 혜리가 앞서 출발하고 그 뒤를 혁수가 따라서 차례대로 연구소 건물 밖으로 나가는 모습을 형준은 양손에 여전히 커피와 요구르트 음료를 든 채 그저 바라볼 수밖에 없었다.

연구소와 조금 떨어져 있는 한적한 거리에 도착하자 혜리가 수아에게 말했다.

"수아야, 이제 곧 아빠를 보러 갈 건데, 그전에 말할 게 있어."

"뭔데요?"

수아의 질문에 혜리는 잠시 망설이다 대답했다.

"네 아빠는 발현자가 되어버렸어. 상처와 통증이 심해서 도저히 잠을 잘 수가 없었거든. 수면제도 효과가 없을 정도로 말이야."

"네? 그게 무슨 소리예요?"

수아는 혜리를 올려다보았다. 이전까지와는 다른 혜리의 진지한 표정이 눈에 들어오자 무슨 말을 하려던 수아는 혜리의 손을 놓고 뒷걸음질쳤다. 그러다 가까스로 멈춰 서서 한참을 아무 말 없이 서 있는 수아를 바라보던 혜리가 말을 덧붙였다.

"지금 아빠도 데리고 왔는데, 이미 거의 제정신이 아니야. 그래도 직접 만나게 해주는 게 맞는 것 같아서 힘들게 데리고 왔어. 잠시만."

혜리는 휴대전화를 꺼내 문자를 보내는 듯했다. 잠시 후 회색 승합차 한 대가 혜리 근처에 주차했고, 희성이 먼저 차에서 내렸다. 희성이 혜리에게 말했다.

"지금 내리게 할까요?"

주위를 구석구석 둘러보던 혜리는 희성을 쳐다보며 말 없이 고개를 끄덕였다. 희성은 다시 차로 들어갔다. 승합차가 잠시 들썩이더니 잠시 후 희성과 희수, 그리고 입에 수건을 물고 있고 손목이 묶여있는 시혁이 차에서 나오며 모습을 보였다. 시혁의 얼굴에는 성한 곳이 없었고, 눈을 제대로 뜨지 못한 채 중심을 잡지 못해 비틀거렸다. 결국 시혁은 차에서 내리다가 그만 넘어져 바닥에 고꾸라지고 말았다. 손가락도 원하는 대로 움직이지 않는지 왼손은 그저 주먹을 쥐고 있었고 오른손은 힘들게 꼬무락거리기만 해 바닥도 제대로 짚지 못하였다. 희수가 억지로 시혁을 일으켜 세우는 동안 시혁은 갈라지는 목소리로 앓는 소리만 내는 것이 그동안 수없이 봐왔던 발현자의 모습과 다를 바가 없어 보였다.

수아는 시혁을 보자 바로 시혁에게 달려가려 했지만, 혁수가 수아를 붙잡았다. 그러자 수아가 발버둥치며 혁수에게 소리쳤다.

"왜 그래요. 이거 놔요."

"조심하세요. 지금 아버님은 제정신이 아니니까 너무 가까이 붙지 마세요. 알겠죠? 이제 천천히 놓을 테니, 달려가지 마십시오. 너무 빠르게 움직이면 아버님이 무슨 짓을 할지 모릅니다."

"알겠어요."

혁수가 팔을 놓자 씩씩거리던 수아는 혁수의 말대로 방금 보다는 천천히 시혁에게 다가갔다. 수아는 시혁과 어느 정도 거리를 두고 멈추었다. 그리고 흐르는 눈물을 닦으며 울먹이며 말했다.

"아빠, 나 왔어. 며칠 전보다 더 아파 보이네."

시혁은 아무 말도 하지 못했다. 수건을 물고 있었지만 아무래도 수건 때문만은 아닌 것으로 보였다. 불안정한 호흡을 겨우 가라앉힌 수아는 코를 훌쩍이며 혜리에게 말했다.

"수건으로 입 막은 거랑 팔 묶은 것 좀 풀어주세요."

"위험해서 안 돼. 여기까지 오는 데 발버둥을 얼마나 치던지 자칫 잘못하면 우리도 다칠 뻔해서 겨우 묶어놨단 말이야. 지금 네 아빠는 사람과 마네킹도 구분 못 하는 수준이라고."

"지금은 밤이잖아요. 제발 부탁이에요. 난 괜찮아요. 아빠가 너무 힘들어 보여요."

수아가 혜리에게 애원하자 혜리는 한숨을 쉬고 말했다.

"알겠어. 대신 가까이 가지는 마. 그리고 수건은 풀어도 말은 못 할 거야. 이미 언어 능력은 거의 상실해버린 상태거든."

혜리가 희성과 희수에게 눈치를 주자 희수가 혁수를 붙잡고 희성이 포박을 풀어주었다. 희수는 시혁을 놓자마자 뒤로 물러서서 주머니에 있던 전기 충격기를 꺼내 시혁을 조준했다. 시혁은 아직은 별 저항 없이 그대로 그 자리에 서 있었다.

수아는 방금 보다 시혁에게 더 가까이 다가가 시혁을 올려다보았다. 하지만 시혁은 수아를 보기 위해 고개를 숙이지 않고 그대로 멍하게 정면만 바라볼 뿐이었다. 수아는 상관하지 않고 시혁에게 다시 말했다.

"아빠, 나 왔어. 그동안 많이 힘들었지?"

수아의 목소리를 듣고 드디어 소리 나는 방향으로 고개를 돌리는 시혁. 하지만 그뿐이었다. 수아는 천천히 시혁에게 다가가 말없이 시혁을 와락 껴안았다. 하지만 갑작스러운 접촉에 놀란 시혁은 수아를 떼어내기 위해 허둥지둥하다가 자신을 껴안고 있는 수아의 팔 사이로 손을 집어넣었다. 그리고 알 수 없는 괴성과 함께 수아의 안쪽 팔부터 손까지 쓸어내리며 수아를 밀쳐냈다. 마지막으로 시혁의 손을 붙잡다가 놓치며 바닥에 엉덩방아를 찧은 수아를 확인한 희수는 곧바로 시혁에게 전기 충격기를 발사했다. 시혁은 고통스러워하며 그대로 바닥에 쓰러졌다. 놀란 표정의 수아는 바닥에 넘어진 채 뒤로 물러났다.

바닥에 넘어진 수아를 일으키기 위해 혁수가 달려갔지만 수아는 혁수가 부축하기 전에 자리에서 스스로 일어났다. 그리고 고개를 푹 숙이고 주머니에 손을 집어넣은 채 왼발 오른발 번갈아가며 허공에 헛발질하다가 혜리를 보며 말했다.

"잠시 혼자 생각할 시간을 줄 수 있어요? 아빠가 원래대로 돌아오려면 제가 있어야 하는 거 맞죠?"

"그래. 역시 바로 이해하는구나. 일이 이렇게 돼서 미안하다. 우리도 온 힘을 다했는데 어쩔 수가 없었어."

혜리가 가라앉은 목소리로 대답했다. 주위를 둘러보던 수아는 거리가 조금 떨어져 있는 허름한 카페를 가리켰다.

"카페 사장님께 말씀드리고 화장실에서 세수하면서 좀 진정해도 될까요?"

"그래 알겠어. 정리가 어느 정도 되면 나와서 말해줘. 음료수도 한 잔 마실 거면 이걸로 마셔."

수아는 혜리가 건네준 카드를 받고 무거운 발걸음을 이끌며 카페로 들어갔다. 수아의 모습을 지켜보는 혜리는 희수와 희성에게 말했다.

"수아 아버지는 다시 차에 넣고 수아가 화장실에서 나오면 잘 지켜보고 있으세요. 다행히 카페 내부가 밖에서 잘 보이니까 혹시 다른 마음 먹는 것 같으면 데리고 나와서 바로 끌고 가야겠어요. 뭔가 미심쩍네요."

희수와 희성은 아직 바닥에 쓰러져있는 시혁을 끌고 차 안으로 들어갔다. 지켜보던 혁수가 혜리에게 넌지시 말했다.

"단순히 수아 말대로 진정할 시간이 필요한 것처럼 보였는데, 아무래도 아직 어린애지 않습니까?"

"그럴 수도 있죠. 하지만 눈앞에서 하루아침에 제정신이 아니게 된 아빠가 쓰러진 것치고는 반응이 약한 것 같았어요. 아빠를 구할 열쇠가 자신에게 있지만 바로 아빠를 구하게 해달라고 부탁하지 않는 것도 이상하고요. 연구소에서 수아가 실험 대상에 적합하다고 했을 때 반응이 어떻던가요?"

의심을 거두지 않는 혜리의 질문에 혁수는 카페 안에서 막 화장실로 들어가는 듯한 수아를 바라보고는 대답했다.

"좋아했습니다. 자기 몸에 수많은 관이 꽂힌 채 몇 년간 잠들어야 한다는 사실을 알고도 그렇게 웃을 수 있는 아이는 없을 겁니다."

35

한편 같은 시각, 수아는 떨리는 몸을 이끌고 카페에 들어가 무인 단말기로 복숭아 아이스티 한 잔을 주문하고 바로 화장실로 직행했다. 허름했던 카페 외관과는 대비되는 흰색 톤의 깔끔한 화장실에는 다행히 아무도 없는 것처럼 보였다. 수아는 물방울이 구석에 튀어있는 거울 앞 세면대에서 차가운 물로 세수하고 옆에 있는 휴지로 손과 얼굴에 묻은 물기를 차례대로 닦아냈다. 그 후 살짝씩 열려있는 변기 칸을 일일이 확인해 보았다. 그리고 화장실 문을 잠그고 주머니에서 꾸깃꾸깃 뭉쳐져 있는 종잇조각을 꺼냈다.

수아는 다시 한번 손을 바지에 비벼 물을 닦아내고, 종이가 찢어지지 않도록 천천히 펴보았다. 그리고 종이를 얼굴에 가까이 들이밀며 한동안 종이를 응시하던 수아는 손에 종이를 꽉 쥐고 내려놓은 채 한동안 조용히 흐느껴 울었다.

잠시 후 화장실에서 나온 수아는 카페 계산대에서 복숭아 아이스티를 받아와 카페 앞 창가 자리에 앉았다. 그리고 창가 너머로 자기를 지켜보고 있는 희성과 희수, 그리고 이야기를 나누고 있는 혜리와 혁수를 바라보았다. 아이스티를 빨대로 한 모금 빨아 마시던 수아는 금방 빨대를 내려놓고 인상을 찡그렸다.

"아이 써."

카페에서 달콤한 음료수 중 하나인 복숭아 아이스티도 지금 수아에겐 에스프레소와 다를 바 없었다. 수아는 음료수 컵을 멀리 치우고 카페 테이블에 얼굴을 기대었다. 그러고는 주머니에 손을 넣고 화장실에서 확인했던 종이를 만지작거리며 한참을 그 자리에 머물렀다.

몇 분 후, 다시 혜리가 있는 곳으로 발걸음을 옮기는 수아. 수아가 카페에서 나올 때부터 갑자기 혁수와 혜리 사이의 대화가 끊긴 걸 수아도 어렴풋이 알고 있었지만 모르는 체하며 혜리에게 말했다.

"결정했어요. 아빠를 원래대로 되돌리고 싶어요."

"잘 생각했어. 그럼 얼른 가자. 여기서 그렇게 멀지는 않아."

혜리는 기분 좋은 표정을 애써 감추며 대답했다. 수아는 개의치 않고 말을 이어갔다.

"그 전에, 연구소에 먼저 갔다 와야 해요. 지금 이대로 말없이 사라지면 연구소에서 이상하게 생각할 거예요."

"전화로 하면 되지 않을까? 아니다. 연구소 직원들에게 꼭 치료제 개발에 도움이 되고 싶다고 그랬는데 갑자기 전화로 마음이 바뀌었다고 하고 아무 설명도 없이 사라지면 오히려 이상하게 생각하려나?"

"네? 아, 네. 그렇지 않을까요?"

예상치 못한 혜리의 물음에 수아는 말을 얼버무리며 혁수의 눈치를 살펴보았다. 혁수는 수아가 자신을 쳐다보자 수아만 눈치챌 정도로 아주 조금 고개를 끄덕였다. 수아는 혁수의 의도를 알아들은 듯 아무 일 없다는 듯 다시 혜리를 쳐다보았다. 혜리가 머리를 긁적이며 말했다.

"좋아요. 그럼 저랑 혁수 아저씨, 그리고 수아 이렇게 셋만 들어가도록 하죠. 그나저나 연구소 방문한 지가 꽤 오래됐는데 아직도 제 기록이 남아있는지 확인만 간단하게 하고 안으로 출입시켜 주더라고요. 의외로 허술한 것 같아요."

그렇게 수아, 혁수 그리고 혜리는 다시 연구소로 향했다. 연구소 정문에 도착한 후 혁수가 문자메시지로 형준을 부르고, 셋은 나가기 전 앉아서 쉬던 로비 테이블에서 다시 형준이 오기만을 기다렸다. 얼마 지나지 않아 엘리베이터에서 내리는 형준은 거의 뛰다시피 하며 테이블로 와서 말했다.

"결정하셨다고 말씀해 주셔서 바로 달려왔습니다."

형준은 자연스레 빈자리에 앉으며 힘겹게 호흡을 골랐다.

"그 전에 한 가지 물어볼 게 있어요. 혹시 지금은 발현자를 치료할 방법이 전혀 없는 건가요?"

수아가 혜리의 눈치를 한 번 보고는 형준에게 물었다. 형준은 바로 대답했다.

"정상적인 방법으로는 없지요."

"그럼 비정상적인 방법은 있나요?"

수아의 물음에 형준은 주위 눈치를 보다가 목소리를 낮추어 말했다.

"면역자의 간을 이식하는 방법이 있다고는 들었습니다. 부분 간이식 수술로 치료할 수 있다는데 위험하기도 하고 검증된 방식은 아닌데 소문으로는 불법적으로 수술을 하는 곳이 있다고 하더라고요. 추천할 만한 방법은 아닙니다. 저희도 해당 사항으로 연구한 적이 있는데 간을 직접 이식하는 방식은 효용가치가 너무 떨어진다고 판단해 중간에 그만둔 적이 있네요."

"그럼 가능하다는 얘기인 거네요, 맞죠?"

혜리가 중간에 끼어들었다. 형준은 계속 말을 이어 나갔다.

"가능하긴 합니다만 연구소를 대표하는 입장은 아니라는 걸 알아주셨으면 좋겠습니다. 혹시 물어보는 이유가......."

"아니에요, 정말 궁금해서 물어본 거였어요. 저는 이미 결정했어요."

형준의 말에 수아는 손사래를 치며 답했다. 혜리는 옆에서 기뻐하는 표정을 애써 감추고 있는 것처럼 보였다. 수아는 다시 한번 혜리를 힐끗 쳐다보고는 형준에게 말했다.

"지원할게요. 오늘 당장이요."

수아의 말에 형준과 혜리의 표정은 극과 극으로 대비되었다. 방금까지 기뻐하던 혜리는 수아의 말을 듣고 벙하게 있다 곧 표정이 일그러졌고, 형준은 반대로 세상 다가진 사람처럼 기뻐서 어쩔 줄 몰라 했다. 형준은 억지로 진정하고는 수아에게 말했다.

"감사합니다. 정말 고마워요. 오늘 바로 가능합니다."

형준과 함께 자리에서 일어나려는 수아에게 혜리가 물었다.

"하지만 수아야, 그럼......."

혜리는 말을 하려다 주위 눈치 때문에 더는 말을 이어나갈 수 없었다. 수아는 주머니에서 꾸깃꾸깃 구겨진 종이를 꺼내 혜리에게 건네주었다. 혜리는 영문도 모른 채 종이를 받아 들고 뭉쳐있던 종이를 천천히 펴보았다. 종이에는 군데군데 묻은 핏자국과 함께 마치 큰 지진이 났을 때 쓴 것 같이 너저분하게 휘갈긴 글씨체로 다음과 같이 휘갈겨져 있었다.

'왕 비 를 믿 지 마'

시혁의 마지막 유언과도 같은 여섯 글자에 혜리의 귀가 빨개졌다. 수아는 혜리를 보며 복잡한 표정을 지어 보이고는 아무 말 없이 그대로 일어나 뒤로 돌아섰다. 혜리는 아랫입술을 앙 깨물며 시선을 이리저리 돌리다가 자리에서 벌떡 일어나 수아를 부르며 말했다.

"잠시만 수아야. 그래, 날 못 믿는 건 알겠어. 나도 이해해. 마지막으로 너희 아버지가 너에게 남긴 말이 있는데 그것만이라도 듣고 가. 이건 정말 어떠한 조작 없이 순수하게 너희 아버지 입에서 나온 말을 녹음한 거야."

수아는 발걸음을 떼려다 말고 다시 뒤로 돌아 혜리를 차가운 시선으로 쳐다보았다. 혜리는 천천히 휴대전화를 꺼내 들었다. 그리고 휴대전화 화면은 자기 쪽으로 향한 채 엄지손가락으로 무언가를 입력하며 절박한 목소리로 말했다.

"잠시만, 금방 재생될 거야."

혜리는 그러다 문득 엄지손가락의 움직임을 멈추고 뭔가를 기다리는 듯 시선을 위로한 채 눈동자를 이리저리 굴렸다.

'콰과과과광!'

갑자기 연구소 건물 바깥에서 큰 폭발음과 함께 연구소 건물이 몇 초간 크게 흔들렸다. 갑작스러운 상황에 로비에 있던 사람들이 약속이라도 한 듯 움직임을 멈추고 소리가 난 쪽을 바라보다가, 고막이 찢어질 듯한 사이렌 소리가 건물 내에 울려 퍼지자, 순식간에 단체로 비명을 지르며 사방팔방으로 뛰어다녔다.

형준은 계단을 가리키며 급박한 목소리로 말했다.

"저기로 가서 배양기가 있는 지하로 가면 안전할 거예요. 빨리 대피하죠."

형준과 수아가 급하게 계단으로 달려가려는 그때 혁수가 형준을 막아섰다. 그리고 형준이 채 반응하기도 전에 그대로 복부에 주먹을 꽂아버렸다. 형준은 바닥에 엎어지며 배를 맞은 충격으로 연신 헛구역질을 하며 괴로워했다. 혁수가 형준 앞에 쪼그려 앉으며 밀했다.

"미안합니다. 시간을 벌어야 해서 어쩔 수가 없었습니다."

수아는 바닥에 쓰러진 형준을 보고 잠시 멈춰 섰다가 그대로 계단으로 달렸다. 하지만 계단까지 몇 걸음 남지 않은 거리에서 몸을 날려가며 수아에게 뛰어든 혜리에 의해 그대로 앞으로 넘어졌다. 혜리는 거친 숨을 내쉬며 그대로 수아 위로 올라타 양손으로 수아의 팔을 하나씩 붙잡고, 곧이어 조금 더 위로 올라타 양 무릎으로 수아의 팔을 눌렀다. 수아는 팔에 가해지는 고통과 정신이 반쯤 나가버린 듯한 혜리의 모습에 두려움이 온몸에 전해져 발버둥쳤지만, 어린아이의 힘으로는 도저히 빠져나갈 수가 없었다. 혜리는 흐트러진 머리카락이 바닥에 질질 끌리게 내버려둔 채 수아를 향해 눈을 부라리며 나무랐다.

"수아야, 그냥 언니 따라오면 좋았잖아. 이렇게까지 할 필요 없었는데. 그러면 너희 아빠도 살고 나도 크게 챙기는 건데 말이야. 그리고 네가 마음에 들어서 어쩌면 너에게도 조금 나눠줄 의향도 있었는데, 네가 다 망친 거야. 현실은 동화와는 다르다는 걸 이번 기회에 배우게 됐구나. 조금 비싼 값으로 말이야."

혜리는 천천히 수아의 목으로 손을 가져갔다. 보아뱀이 천천히 먹이를 질식시키듯이 혜리의 손가락들이 수아의 경동맥을 포함한 목 전체를 감싸기 시작했다. 수아는 소리를 지르며 발버둥치다가 기도가 막히자 캑캑거리기만 할 뿐 아무 소리도 낼 수 없었다.

그때 갑자기 수아의 목을 조르던 열 마리의 뱀과 같은 손가락들이 더는 느껴지지 않았다. 돌연 나타난 희수와 희성이 혜리를 양팔을 각각 붙잡고 억지로 수아에게서 떼어냈다. 급작스레 양팔이 붙잡힌 혜리가 희성과 희수를 번갈아 보며 소리쳤다.

"이거 놔요! 왜 나를 붙잡는 거예요! 나 말고 저기......"

"저를 붙잡으라고 하신 거죠?"

어느새 혁수가 혜리 뒤에서 나타났다. 당황한 혜리는 말을 얼버무렸다. 혁수가 계속 말했다.

"혜리 님, 이번 일은 틀렸습니다. 저희로는 감당하기 힘들 정도입니다. 지금 자리 뜨면 시간 벌면서 도망갈 수 있을 겁니다."

"하, 하지만 거의 다 왔는데, 그리고 지금 이대로 가버려서 치료제가 완성되면 우리는 이제 뭐 먹고 살아요?"

"저희는 혜리 님 안전이 더 중요합니다. 제 발로 걸어가지 않으면 들고 뛰어갈 겁니다. 저기 깨진 유리 벽 쪽으로 뛰어갑시다."

희성과 희수가 천천히 혜리를 놓아주자, 혜리는 투덜거리며 바로 혁수가 가리켰던 곳으로 달리기 시작했다. 혁수도 혜리의 옆에서 나란히 달리자, 눈치를 보던 혜리가 혁수에게 말했다.

"미안해요. 아저씨가 배신했다고 생각해서."

"괜찮습니다. 혜리 님이 그렇게 느꼈던 것도 저는 이해합니다. 오늘 저를 이곳에서 묻어버리려고 했던 것도 이해합니다. 저는 어디로 튈지 모르는 럭비공 공주 혜리 님을 끝까지 보살피기로 사장님, 아니, 혜리 님 아버지와 약속했으니 말입니다."

"럭비공 공주라……. 어렸을 때 럭비공이 뭔지도 모르고 아빠가 그렇게 부르면 좋아했었는데, 정말 오랜만에 들어보는 별명이네요."

혜리와 혁수, 희성과 희수는 그렇게 연구소 건물 밖으로 사라져 버렸다.

36

"결국 못 잡았다. 미안하구나. 우리도 최선을 다하고는 있지만 절대 금방 잡힐 것 같지는 않다. 내가 입이 열 개라도 할 말이 없다."

서울 하선병원 장례식장 건물 앞. 남색 정장을 입고 얼굴이 험하게 생긴 아저씨가 몰골이 영 말이 아닌 수아에게 말했다. 수아가 지금 가진 건 붉게 충혈된 눈, 헝클어진 머리카락, 갈라진 입술, 그리고 목이 메어 기어들어 가는 목소리였다. 수아는 쉰 소리로 고개를 겨우 들며 말했다.

"괜찮아요, 형사 아저씨. 그 사람들 보통내기는 아니에요. 제가 배양기에 들어가기 전에 저희 아버지 장례 치를 수 있도록 시신을 연구소 앞에 몰래 두고 간 걸 고마워해야 할지, 원망해야 할지 모르겠네요."

형사는 수아에게 명함을 하나 건네준 후 동료 경찰들과 함께 자리를 떴다. 경찰들의 뒷모습을 한참 바라보던 수아는 병원 건물 앞 석재바닥에 다리에 힘이 풀린 듯 털썩 앉았다. 때마침 장례식장 건물에서 나오는 형준이 기운 없이 바닥에 앉아있는 수아를 보고 옆에 앉았다. 그러고는 수아에게 다정하게 말했다.

"3 일간 고생 많았어, 수아야."

"형준 삼촌 덕분에 무사히 지나갔네요."

잠시 침묵이 흘렀다. 형준이 어색한 침묵을 깨뜨리기 위해 수아에게 물었다.

"아버지는 어떤 분이셨어? 이렇게 수아를 잘 키워주신 분이라면 직접 만나 뵐 기회가 있었으면 더 좋았을 텐데 말이야."

수아는 머리카락을 연신 쓸어내리며 고민하다가 대답했다.

"아빠에게 예전에 연구소로 가겠다고 설득했을 때, 나는 모래성을 다시 만들어 주는 사람이 되고 싶다고 한 적이 있어요. 모래성 땅따먹기 놀이에서 위태위태하게 서있는 나뭇가지를 누군가가 쓰러뜨려 버리면, 나뭇가지를 다시 세우기 위해 모래성을 만들고 나뭇가지를 다시 세우잖아요. 아빠는 이미 저를 몇 번이고 다시 일으켜 세워주기 위해 묵묵히 살았어요. 저도 아빠처럼 모래성을 다시 쌓고 나뭇가지가 넘어지지 않도록 해야지요. 며칠간 잠을 잘 못 잤더니 많이 피곤하네요. 배양기에 있던 사람들은 정말 오랫동안 잘 텐데 그동안 꿈도 많이 꾸나요?"

"그건 우리가 어느 정도는 요청하는 대로 해줄 수가 있어. 기분 좋은 꿈을 꾸도록 유도할 수도 있고, 반대로 기분 나쁜 꿈을 꾸도록 유도할 수도 있어. 물론 그럴 사람은 없지만. 그리고 깨어나면 무슨 꿈을 꿨는지 생생하게 기억하게 할 수도, 반대로 기억나지 않게 할 수도 있어. 잠을 자지 않게 하는 바이러스 때문에 잠에 대해서 더 잘 알게 됐지."

"신기하네요. 그러면 다들 기분 좋은 꿈을 꾸면서 잊지 않으려고 하지 않을까요?"

수아가 묻자 형준이 잠시 고민하다가 대답했다.

"대부분은 그렇지만, 꿈을 아예 꾸지 않게 해달라는 사람들도 있었어. 가능하긴 하지만 그렇게 하면 수면의 질이 안 좋아져서 우리가 원하는 성분을 추출하기가 힘들어지거든. 그래서 대신 자고 일어나면 꿈이 기억나지 않도록 해주겠다고 하니까 그렇게 해달라고 하더라. 이유는 못 물어봤네."

"저는 그냥 다른 사람들처럼 기분 좋은 꿈을 꾸면 좋겠네요. 지금 좀 많이 피곤하니까요."

장례식장 건물 앞으로 검정 리무진 차 한 대가 멈춰 섰다. 수아는 자리에서 일어나 다리에 묻은 먼지를 털었다.

형준도 아무 말 없이 자리에서 일어나 자동으로 열린 리무진 문을 붙잡았다. 수아가 먼저 리무진 안으로 들어가고 형준도 따라서 리무진에 탑승하자 문이 천천히 닫혔다. 리무진은 곧 장례식장을 떠났다. 수면의 자유를 위해, 불면의 자유를 위해.